MESTRES DO PENSAMENTO

20 FILÓSOFOS QUE MARCARAM O SÉCULO XX

ROGER-POL DROIT

MESTRES DO PENSAMENTO

20 FILÓSOFOS QUE MARCARAM O SÉCULO XX

Tradução de Julia da Rosa Simões

Texto de acordo com a nova ortografia
Título original: *Maîtres à penser – 20 philosophes qui ont fait le XXᵉ siècle*

Tradução: Julia da Rosa Simões
Capa: Ivan Pinheiro Machado. *Ilustração*: iStock
Ilustrações internas: Éric Doxat
Preparação: Patrícia Yurgel
Revisão: Marianne Scholze

CIP-Brasil. Catalogação na publicação
Sindicato Nacional dos Editores de Livros, RJ

D848m

Droit, Roger-Pol, 1949-
    Mestres do pensamento: 20 filósofos que marcaram o século XX / Roger-Pol Droit; tradução Julia da Rosa Simões. – 1. ed. – Porto Alegre, RS: L&PM, 2016.
    320 p. : il. ; 21 cm.

    Tradução de: *Maîtres à penser – 20 philosophes qui ont fait le XXᵉ siècle*

    ISBN 978-85-254-3293-3

    1. Filosofia - História. 2. Filósofos. 3. Filósofos modernos - Séc. XX. I. Título.

15-25588   CDD: 190
                                        CDU: 1

© Éditions Flammarion, Paris, 2011

Todos os direitos desta edição reservados a L&PM Editores
Rua Comendador Coruja, 314, loja 9 – Floresta – 90.220-180
Porto Alegre – RS – Brasil / Fone: 51.3225.5777 – Fax: 51.3221.5380

Pedidos & Depto. comercial: vendas@lpm.com.br
Fale conosco: info@lpm.com.br
www.lpm.com.br

Impresso no Brasil
Verão de 2016

SUMÁRIO

Introdução 9

Primeira parte
RETORNO ÀS EXPERIÊNCIAS

1. Onde Henri Bergson precisa esperar, como todo mundo, que o açúcar se dissolva 23
2. Onde William James se livra da metafísica com a ajuda de um esquilo 39
3. Onde Sigmund Freud consegue dissociar conhecimento e verdade 51

Segunda parte
COM OU SEM A CIÊNCIA

4. Onde Bertrand Russell, com um barbeiro de aldeia, deixa os matemáticos em pânico 73
5. Onde Edmund Husserl segura a ciência na beira do abismo 85
6. Onde Martin Heidegger acha que Hitler tem belas mãos 97

Terceira parte
NO LIMITE DAS PALAVRAS

7. Onde Ludwig Wittgenstein faz uma faxina no pensamento 115
8. Onde Hannah Arendt tenta reconstruir uma cidade em ruínas ... 129
9. Onde um certo Willard van Orman Quine inventa um coelho desconcertante 143

Quarta parte
A LIBERDADE E O ABSURDO

10. Onde Jean-Paul Sartre quer decidir sobre tudo e não consegue 159

11. Onde Merleau-Ponty descobre que a verdade
não é totalmente visível 173
12. Onde Albert Camus se obstina a acreditar no
homem revoltado 183

Quinta parte
O QUE PODE A VERDADE

13. Onde o Mahatma Gandhi reinventa a luta moral 199
14. Onde Althusser e seus fantasmas voltam do reino dos mortos 209
15. Onde Claude Lévi-Strauss derruba a ideia de uma
única verdade humana.. 221

Sexta parte
QUANDO O HOMEM PARECE SE APAGAR

16. Onde Gilles Deleuze inventa o "devir-animal" e
as alegrias da velocidade... 241
17. Onde Michel Foucault se interessa por asilos,
hospitais, casernas e prisões... 251
18. Onde Emmanuel Levinas encontra no outro
homem a fonte da ética... 263

Sétima parte
UM DEBATE SEM FIM

19. Onde Jacques Derrida se dedica a questionar as questões......... 279
20. Onde Jürgen Habermas se recusa a ver a razão soçobrar.......... 291

Conclusão 301
Agradecimentos 309
Índice onomástico 311
Do mesmo autor 315

Os homens que não pensam são como sonâmbulos.
Hannah Arendt

Introdução

ONDE SE AFIRMA QUE O PENSAMENTO CONTEMPORÂNEO NÃO PODE SER EXCLUSIVIDADE DOS ESPECIALISTAS

Antigamente, o termo *maître à penser*, mestre do pensamento, evocava a figura do guia espiritual mais que a do filósofo – a do guru mais que a do pesquisador. Coisa do passado, pois a expressão, própria à língua francesa, mudou de significado. Ela designa, hoje, aqueles que são considerados grandes referências intelectuais, que atingem um público excepcional. Porque o século XX inventou o filósofo pop star. Voltaire e Diderot sem dúvida eram conhecidos em toda a Europa. Seus renomes, porém, não tinham a força dos de nossos contemporâneos.

Os meios de comunicação tiveram um papel importante nessa inflexão. Os mestres do pensamento nasceram com a imprensa, com o rádio e com a televisão. Henri Bergson foi o primeiro a despertar essa mistura de curiosidade mundana, atenção literária e mal-entendidos variados que cercam inúmeros filósofos atuais. Jacques Derrida foi um dos últimos autores de livros difíceis cercados por uma aura de fervor e quase devoção. Martin Heidegger, Jean-Paul Sartre, Albert Camus e Michel

Foucault também passaram por essa verdadeira metamorfose em personagens de ficção.

O mestre do pensamento não é apenas o que ele publica e professa. Uma lenda o cerca. Sua influência ultrapassa o estreito círculo formado por aqueles que de fato compreenderam seus trabalhos. Ela vai além da esfera, já bastante estendida, dos que o leram e não entenderam completamente. Seu renome chega aos que apenas ouviram falar de seu trabalho e, ainda assim, julgam perceber em sua pessoa um posicionamento singular em relação ao mundo.

Como seria de esperar, essa metamorfose do filósofo em mestre do pensamento é uma faca de dois gumes, prejudicial e benéfica, enganosa e eloquente. A estrondosa celebração que as obras recebem esvazia sua força, desvia-se de seu conteúdo exigente e perturbador. É mais fácil venerar um mestre do que decifrar uma obra.

De minha parte, prefiro os textos. É por isso que, sem descuidar de suas imagens públicas, este livro se debruçará sobre o que esses pensadores pensaram e publicaram, sobre o modo como prolongaram as aventuras da verdade, ainda que seja bastante útil, para abordar as teorias, evocar os homens e retraçar as trajetórias.

Os mestres do pensamento também são seres de carne e osso. Sei disso muito bem, pois tive oportunidade de conversar com Claude Lévi-Strauss, Emmanuel Levinas, Gilles Deleuze, Louis Althusser, Michel Foucault, Jacques Derrida, Jürgen Habermas. Eles não são apenas nomes em capas de livros, também são timbres de voz, tipos de olhar, maneiras de se portar, de inclinar a cabeça ou de apertar a mão.

Introdução

Razões da escolha

Este livro é uma continuação de *Une brève histoire de la philosophie**, em que tentei mostrar, por meio de vinte clássicos do pensamento ocidental, que os filósofos "não são extraterrestres": é possível compreender o que eles dizem, seus pensamentos são suscitados por coisas experimentadas por todos. O presente volume poderia se intitular *Uma breve história da filosofia contemporânea*, pois persegue o mesmo objetivo: ser útil, nada mais, e propor pontos de partida específicos e acessíveis para um primeiro contato com grandes pensadores de nossa época.

Apesar de eles terem escrito inúmeras obras, não é absurdo tentar esboçar, com o máximo de clareza possível, ideias marcantes, linhas de força e pontos de ruptura. Quanto à escolha dos nomes, certa dose de subjetividade é inevitável. Outras escolhas seriam possíveis e legítimas, obviamente.

O importante é mostrar aos não especialistas em filosofia que os pensadores do século XX não vivem numa dimensão inacessível nem fazem parte de uma seita de jargão obscuro. Esse verdadeiro trabalho pedagógico é com frequência considerado impossível em relação aos contemporâneos. Seria fácil falar de Sócrates ou de Epicuro, mas impossível abordar Deleuze ou Levinas. No entanto, todos estão em busca de ideias capazes de aguçar nossos conhecimentos e elucidar nossas ações. De onde vem essa diferenciação?

Outra filosofia, outro mundo

Ela pode ser explicada pelo fato de que vários aspectos da filosofia, e sobretudo do mundo, se transformaram.

---

* No Brasil, o livro foi traduzido como *Filosofia em cinco lições* (Nova Fronteira, 2012). (N.T.)

Mestres do pensamento

No fim do século XVIII, os filósofos se tornaram professores e a filosofia se tornou uma disciplina universitária, com normas, regras de trabalho, exames, cursos, diplomas etc. Acadêmica, ela se tornou mais pesada. A transformação em campo de publicações científicas, de carreiras, de poderes e de clientelismo modificou seu discurso.

Fenômenos idênticos existiram nas instituições da Antiguidade. As rivalidades para chegar à frente da Academia ou do Liceu – as respectivas escolas de Platão e Aristóteles – mobilizavam as ambições dos professores. No entanto, ao lado das salas de aula e das bibliotecas, também existiam grupos de filósofos selvagens, livres buscadores de sabedoria. Ao se encerrar no mundo universitário, a filosofia viu seu vocabulário se complicar e sua imagem se modificar.

Este não é, absolutamente, o único motivo para a maior complexidade, real ou imaginada, do pensamento contemporâneo. Pois não foi a filosofia que mudou, foi o mundo: subversões científicas, revoluções técnicas, guerras e totalitarismos repercutiram com força sobre os pensamentos do século XX.

As ciências se emanciparam totalmente da tutela filosófica. No século XIX, para se designar a biologia ainda se falava em "filosofia natural". Sabemos que, na época moderna, Descartes, Spinoza e Leibniz eram matemáticos, físicos e químicos, e mesmo biólogos ou geólogos, tanto quanto filósofos. Ser cientista sem ser filósofo, ou vice-versa, só se tornou possível na época contemporânea.

A expansão dos conhecimentos – física quântica, biologia molecular, astrofísica... – não deixou de impactar a filosofia, que se viu atraída, ou mesmo arrastada, para a corrente das ciências. Para alguns pensadores contemporâneos, a única filosofia possível é aquela baseada no conhecimento científico. Verdade filosófica e verdade matemática devem se sobrepor, e inclusive se confundir. Para outros, no entanto, o principal dever da filosofia é resistir à influência das ciências e a seu imperialismo. Em ambos os casos, é em relação às ciências que a filosofia hoje se define.

A explosão da técnica também foi decisiva, com tudo o que ela modificou nas relações sociais, na vida cotidiana, no meio ambiente, nas estruturas de poder e de trabalho. Fortes posicionamentos opõem, neste âmbito, aqueles que pensam a técnica de maneira positiva, para melhor utilizá-la, e aqueles que pensam *contra* a técnica, vendo-a como um dispositivo destruidor que escapa a todo controle.

Ideias e bombas

Por fim, sabemos que o século XX foi atravessado por guerras e massacres em escala até então desconhecida na história da humanidade. Ora, essas guerras estavam ligadas à própria civilização – para a filosofia, essa foi nossa lição mais cruel. A ideia de que a cultura trazia a paz veio abaixo. Do século das Luzes ao das ciências e da indústria os homens tinham acreditado que um povo que desenvolvesse os saberes, as artes e as técnicas teria acesso ao progresso humano, moral, social e político.

A grande esperança era a seguinte: quanto mais os homens se tornassem sábios, mais eles se tornariam civilizados. Cultivados, seriam pacificados. Essa convicção foi estilhaçada pela

Primeira Guerra Mundial: a Europa se autodestruiu nas trincheiras, ao preço de milhões de vidas, apesar de se considerar a mais civilizada, a mais cultivada, a mais sábia e a mais filosófica de todas as regiões do mundo.

A ascensão do nazismo, a Segunda Guerra Mundial e o Holocausto confirmaram que a cultura não impedia a barbárie. Foi o povo mais filosófico da Europa – o de Kant, Hegel, Schelling, Feuerbach, Schopenhauer, Nietzsche e tantos outros – que encorajou a desumanidade e a desrazão. O pensamento contemporâneo, portanto, precisou ser confrontado com esse novo problema: a razão pode compreender sua própria impotência? Ela precisa admitir que não pode impedir o pior? Ou precisa admitir que talvez seja de uma obscura conivência para com a destruição?

Seja qual for o lado para o qual se decida olhar, as paisagens estão em ruínas: não resta nada, ou quase nada, das esperanças de outrora, dos valores antigos, das regras que pareciam sólidas. Tudo está desmantelado ou transtornado. As ciências conquistam novos campos. As técnicas elaboram novos poderes. Os totalitarismos e os massacres em massa arruínam a política e a ética.

Nesse turbilhão, a própria ideia de verdade é questionada e atacada de diferentes lados. As "aventuras da verdade" – que *Une brève histoire de la philosophie* tentou esboçar por meio dos principais momentos do pensamento ocidental – se intensificam em torno do grande embate entre duas tendências antagonistas.

De um lado, a verdade é considerada passível de formulação e demonstração. Em certos casos, ela pode ser alcançada. Em certos âmbitos restritos, é possível, legítimo e frutífero buscá-la. Nessa corrente, encontramos as filosofias das ciências e da matemática, a lógica e a demonstração. A filosofia analítica nasce dela – de Viena, espalha-se pelo mundo anglo-saxão.

Para a corrente oposta, o próprio horizonte de uma busca da verdade é abandonado. Como dizia Nietzsche, ele não passa de uma ilusão. Essa crítica da ideia de verdade se desenvolve a ponto de tentar extinguir a própria noção de verdade, transformando-a em arcaísmo e considerando-a um erro ultrapassado. Deveríamos desconfiar da verdade em vez de buscá-la, desconstruir em vez de elaborar.

Espanto e explicação

No âmago dessas transformações, a força do espanto persiste. Central ao gesto filosófico de Platão ou de Aristóteles, ele se mantém vivo ainda no século XX. "Por que as coisas são como são?" Essa pergunta, sob mil formas diferentes, se encontra no centro do pensamento contemporâneo. Hannah Arendt se espantou, ao acompanhar o processo de Eichmann em Jerusalém, com a "banalidade" do nazista. Quem era esse homem monstruoso? Um joão-ninguém, com uma aflitiva e normalíssima insignificância. O contraste despertou o espanto, portanto a reflexão.

Pois a obstinação de pensar nunca se extingue. A reflexão não se conforma com o absurdo do mundo. Os filósofos sempre tentam compreender – inclusive nossos erros, impasses e horrores. Diante da paisagem mais desoladora, da situação mais horrível, a filosofia mantém seu desejo de saber.

Por fim, em tempos difíceis e de competências generalizadas, os filósofos não podem se recusar a falar. Jean-Toussaint Desanti insistia no fato de que o filósofo não pode agir como o especialista – matemático ou químico. Este último pode se recusar a responder às perguntas do profano, dizer que seu trabalho é complicado demais, técnico demais. O filósofo, ao contrário, tem a necessidade imperiosa de explicar o que faz aos que trabalham com outras coisas.

Essa exigência de traduzir as ideias, mesmo as mais complexas, "para a linguagem de todos", como dizia Bergson, deve acompanhar o pensamento contemporâneo. Colocá-la em prática é difícil, sem dúvida, sua viabilidade às vezes é contestada. Mesmo assim, essa necessidade perdura, como um traço constante da filosofia.

Dediquei uma parte de meu tempo, ao longo de minha vida, a esse trabalho de transmissão, difusão e educação. Pois uma das tarefas importantes dos intelectuais é explicar – suas próprias ideias, as ideias dos outros, os embates e linhas de força que atravessam a história. Trabalho bastante negligenciado nos últimos tempos. Mas indispensável.

Primeira parte

Retorno às experiências

Do que temos diante dos olhos, o que nos escapa? O que *ainda* não vimos? Estamos acostumados ao mundo, às coisas, a nós mesmos, a nossas percepções, desejos e frases... No entanto, desconfiamos de que, em meio a essa familiaridade, elementos essenciais passem despercebidos ou permaneçam incompreendidos. Quais? Como detectá-los? Como distinguir as coisas perdidas pelo olhar, ignoradas pelo conhecimento?

Em certo sentido, a filosofia sempre se preocupou com essas questões. No entanto, elas adquiriram um novo impulso – e um sentido fora do comum – na virada do século XIX para o século XX. As ciências foram desenvolvidas, codificadas e ampliadas. As disciplinas avançaram. Os conhecimentos se acumularam, numa miríade de campos. Demasiadamente, sem dúvida. A impressão que se tinha era a de um labirinto sem fim, de uma proliferação desequilibrada. Como se faltasse uma base, um fundamento, algumas evidências fundadoras.

O século XX buscou certezas inaugurais onde elas não eram percebidas. Ele foi atrás das evidências omitidas e das experiências compartilhadas por todos, em que ninguém pensava. A verdade estaria ao alcance das mãos, desde que se olhasse de outro jeito, que se prestasse atenção ao que era deixado de lado. Bastaria mudar radicalmente de perspectiva para ver surgir, em meio às experiências mais comuns, tesouros insuspeitados.

Esta era a convicção dos três filósofos dissemelhantes que abrem essa caminhada. O que os aproxima: a certeza de que cada um de nós tem, sem compreender, a experiência do essencial. O trabalho do pensador não consiste em criar essa experiência, mas em torná-la visível. Trata-se de prestar atenção – de maneira constante, metódica, obstinada – àquilo que essa experiência bem conhecida encerra de central e, quem sabe, de totalmente desconcertante.

Henri Bergson, por exemplo, se debruça sobre nossa experiência íntima da duração, sobre a maneira como nossa consciência vive o tempo. Este difere enormemente da maneira como nossa razão o concebe, mede e calcula. No retorno de Bergson a esse "dado imediato da consciência" há muito mais em jogo do que apenas uma nova problemática. Para a filosofia, trata-se de reconsiderar o papel da razão. Longe de ser a única detentora e a única garantia da ideia de verdade, a razão poderia ser, em certos casos, aquilo que a mascara, que a deforma ou que impede o acesso a ela.

Com William James, pensador crucial para compreender a evolução da filosofia no século XX, a relação com a experiência é ainda mais decisiva. Ao renovar e reabilitar uma atitude filosófica antiga para criar uma doutrina moderna chamada "pragmatismo", William James faz da própria experiência o critério

Introdução

e o indício da verdade. Uma questão que não mude nada na existência de alguma coisa ao ser resolvida é, a seus olhos, absolutamente sem interesse. A filosofia é submetida a uma dura prova.

Com Freud, são as experiências negligenciadas – sonhos, esquecimentos, lapsos, sintomas neuróticos – que abrem o caminho para um pensamento inconsciente, que escapa àquele que o pensa. Um paradoxo, já presente em Bergson e James, é levado ao auge, pois à razão se atribui o objetivo de explorar metodicamente o irracional. Uma forma de conhecimento científico do imaginário e do desejo se torna possível.

Este foi um dos movimentos inaugurais do pensamento contemporâneo: os métodos da ciência foram em parte usados contra ela mesma, a razão criticou os limites e os excessos da racionalidade, a experiência permitiu a descoberta de paisagens antes desconhecidas nos universos mais familiares.

- **Nome: HENRI BERGSON**
- **Ambiente e meio**

Nascido numa família judia burguesa, de pai pianista polonês e mãe britânica, Bergson escolheu a França e passou praticamente a vida toda em Paris, gozando de incomparável notoriedade.

- **10 datas**

1859 Nasce em Paris, em 18 de outubro.
1878 Entra para a École Normale Supérieure.
1889 Publica *Ensaio sobre os dados imediatos da consciência*.
1896 Publica *Matéria e memória*.
1900 Eleito professor no Collège de France.
1907 Publica *A evolução criadora*.
1914 Eleito para a Academia Francesa (onde será recebido em 1918).
1928 Recebe o Prêmio Nobel de Literatura.
1932 Publica *As duas fontes da moral e da religião*.
1941 Morre em Paris, em 4 de janeiro.

- **Conceito de verdade**

A verdade, para Bergson:
pode ser descoberta pela experiência vivida e pela intuição,
é acessível, desde que as representações deformantes sejam eliminadas,
se furta à expressão pelas palavras.

- **Uma frase-chave**

"Percebi, para meu grande espanto, que o tempo científico não *dura*, que ele não teria nada a mudar em nosso conhecimento científico das coisas se a totalidade do real se revelasse súbita e instantaneamente, e que a ciência positiva consiste essencialmente na eliminação da duração." (Carta a William James, 1908)

- **Posição ocupada no pensamento contemporâneo**

Muito singular, podendo parecer tanto decisiva quanto marginal. Bergson de fato não construiu um sistema e não teve discípulos, apesar de sua notoriedade e sua influência serem imensas. Depois de um período de relativo esquecimento, foi redescoberto e é visto com outros olhos por uma nova geração de filósofos.

Capítulo 1
Onde Henri Bergson precisa esperar, como todo mundo, que o açúcar se dissolva

Em 27 de dezembro de 1889, o século XX ainda não começou. Do ponto de vista da filosofia, porém, ele tem início nesse dia, quando um homem que acaba de fazer trinta anos defende uma tese na Sorbonne. Antigo aluno da École Normale, *agrégé*, ele é professor em Paris há pouco tempo, nos liceus Louis-le-Grand e Henri IV. Antes disso, de 1883 a 1888, havia dado aulas no liceu Blaise-Pascal da cidade de Clermont-Ferrand.

Nesses últimos dias de 1889, Henri Bergson ainda não sabe que entra para a história com o *Ensaio sobre os dados imediatos da consciência*, que seu nome logo se tornará célebre. Ele espera, porém, ainda que não o admita totalmente, modificar de modo radical a paisagem intelectual e a própria concepção da verdade. Esta é sua ambição. Alcançando-a, ele obtém sua primeira vitória. Que é arrasadora.

Contra uma filosofia considerada árida, Bergson retoma o vivido. Ele quer se aproximar da fluidez da experiência íntima, buscando uma forma de contato integral com a realidade, uma experiência de pensamento livre de todos os intermediários enganosos. Ele enfatiza aquilo que nossa vida psíquica tem de continuamente móvel. A verdade nunca está no imóvel, no fixo, no imutável, no estagnado. Ela é criação, invenção, surgimento, advento daquilo que parecia, pouco antes, impossível ou inacreditável. Este é o primeiro, e mais essencial, dos ensinamentos de Bergson: no começo há a novidade, a perpétua mudança – e esse começo nunca cessa! Não se trata de um simples início do qual nos afastamos à medida que o tempo passa. Pelo contrário, esse começo está sempre presente, sempre ativo. Ele está *incessantemente* gerando o novo.

E gerando a clareza. Bergson privilegia a absoluta simplicidade do olhar. E da frase, límpida e direta. De todos os filósofos, ele é o que se mantém mais afastado dos vocábulos artificiais e das contorções linguísticas. Seus contemporâneos não se enganam sobre essa nitidez de pensamento e expressão. "Em Bergson, não há nada que cheire a velharias ou bricabraque", dirá William James. Charles Péguy, por sua vez, o considera "o homem que reintroduziu a vida espiritual no mundo".

Isso não significa que sempre seja de fácil compreensão! Límpido na expressão, Bergson aborda temas difíceis. Ele fala com clareza, sua prosa é fluida. Mas o que ele diz é de difícil apreensão. Pois, justamente, não se trata de "apreender"! Os conceitos, em geral, existem para capturar e encerrar fenômenos dissemelhantes: etimologicamente, "conceito" remete à ideia de "considerar juntamente". Bergson esboça outro gesto.

Em 1889, o *Ensaio sobre os dados imediatos da consciência* não apresenta, propriamente falando, uma "novidade conceitual". Seria inútil procurar ferramentas intelectuais mais eficazes para encerrar a realidade, para melhor classificá-la ou manipulá-la. Pelo contrário, trata-se de reencontrar sua fluidez.

A descoberta da duração

Esse filósofo singular nos convida a experimentar plenamente o próprio movimento da vida que há em nós, sua pura mobilidade. Ou ainda – para descrever em outros termos a mesma realidade – ele tenta encontrar o caráter movente da vida e da consciência, suas interpenetrações (vivemos tanto no presente quanto na lembrança e na antecipação) e sua criação permanente. A descoberta dessas evidências perdidas é questão de experiência direta, de intuição, de atenção sutil à interioridade – nunca de pura teoria.

O que Bergson descobre, portanto, e que ele convida cada leitor a experimentar por si mesmo, é a "duração". Que nada tem a ver com o tempo do relógio, feito de uma sucessão uniforme de instantes iguais. Nesse tempo objetivo, podemos medir intervalos exatos (o vencedor dos cem metros com barreiras está a sete centésimos de segundo do recorde mundial), podemos calcular distâncias precisas (seguindo a tal velocidade, o trem chegará ao destino em 12 minutos e 33 segundos). Na verdade, olhando de perto, veremos que esse tempo uniforme e calculável não passa de... espaço! Nada os diferencia: representamos os dois por meios de retas, segmentos, atribuímos números a essas medidas. E perdemos de vista a natureza específica do tempo.

Quando pensamos o tempo sob o modelo espacial, perdemos o essencial: sua duração. Ela representa nossa experiência temporal, muito diferente do tempo uniforme e constante dos relógios e das sequências calculáveis. Como todos sabem por experiência própria, o tempo subjetivo acelera ou atrasa – dependendo de nossas emoções, de nossa excitação, de nosso tédio. "Não vemos o tempo passar" – ou então, ao inverso, ele parece parar, tornar-se "interminável".

Esse movimento interno e vivido se caracteriza, sempre, pela *espera*: não podemos nos transportar para o momento seguinte. Do ponto de vista matemático, o fato de o ônibus chegar em três segundos ou em três horas não passa de uma mudança de unidade, que não gera qualquer consequência notável. Na realidade da duração, do tempo sentido e percorrido, o mundo em que o ônibus chega depois de três horas é completamente diferente daquele em que ele chega em três segundos.

"Precisamos esperar que o açúcar se dissolva", dizia Bergson. Por meio do pensamento, posso imaginar que isso já aconteceu. Na realidade, preciso percorrer a duração, não posso me poupar da espera. Ninguém pula o tempo, exceto em sonhos e contos de fadas. Esperar a dissolução do açúcar, bem como a chegada do ônibus, é constatar que o movimento temporal – que anima a realidade em que vivemos a partir de dentro – não pode ser suprimido, contornado ou ultrapassado de modo algum.

Essa duração habitada pela consciência é o domínio das intensidades, e não das quantidades. Posso sentir mais ou menos alegria ou tristeza, mas esse mais e esse menos não designam nada de quantitativo. Quem poderia dizer "hoje estou 3,4 vezes mais feliz do que na semana passada", ou, inversamente, "estou 2,7 vezes mais triste"? O vivido tem intensidade, ele não é mensurável como o espaço.

A distinção entre espaço e duração é a descoberta que Bergson não cessa de analisar. A tal ponto que houve quem dissesse que "a intuição da duração" é a "via real" de seu pensamento. "Essa duração, que a ciência elimina, que é difícil de conceber e expressar, pode ser sentida e vivida", enfatiza o filósofo em *O pensamento e o movente*, sua última coletânea de ensaios (1934).

Todo o esforço de Bergson consiste em refletir sobre a duração, em pensar sobre a vida que se anima em nós, em tentar não deixar as concepções deformantes interferirem. Ele se dedica, assim, a fazer as próprias perguntas e à maneira de fazê-las saírem do quadro estático que em geral as cinge. Em suma, ele se dedica a devolver ao pensamento a surpresa, a emergência possível do imprevisível. O que pode incomodar, e até desconcertar. Bergson sabe disso: "A verdade é que a filosofia nunca admitiu francamente essa criação contínua de novidade imprevisível".

Uma coerência sem sistema

De cem maneiras distintas, Bergson enfatiza a novidade: na história, no pensamento, na vida. Uma frase de *A evolução criadora* expressa isso de modo mais nítido que em qualquer outro lugar: "O tempo é invenção do novo ou não é nada". Gilles Deleuze, que contribuiu para o redescobrimento da obra de Bergson, vê nela "um verdadeiro canto em homenagem ao novo, ao imprevisível, à invenção, à liberdade".

Gilles Deleuze está a muitas léguas de distância do sólido espiritualismo tantas vezes associado a Bergson. No entanto, a seus olhos, Bergson transformou a orientação da filosofia de maneira profunda. Com ele, ela deixa de se obcecar pela eternidade e pelo sempre idêntico a si. Ela se abre ao que é fluido, efêmero, à novidade "em vias de se fazer". Pois não se trata de um interesse pela "novidade em geral" – que seria mais um conceito vazio –, mas de uma atenção a tudo o que surge da vida e que se move na duração. Quer se trate da relação do corpo com o espírito (*Matéria e memória*, 1896), da força do vivo (*A evolução criadora*, 1907), da mística (*As duas fontes da moral e da religião*, 1932), cada uma das obras de Bergson provém dessa experiência de interioridade. No entanto, esse filósofo não constrói um sistema: ele vê nos sistemas uma doença da filosofia, um enfraquecimento do pensamento. A cada livro, ele procura abordar um novo tema.

Cada questão necessita, para ele, de uma investigação específica, longa e minuciosa, que acaba gerando seu próprio método. Assim, cada um dos quatro grandes livros de Bergson se quer independente dos demais. Não haveria nem acúmulo, nem retorno, nem transferência possíveis de uma obra a outra. A novidade se aplica ao próprio desenrolar da obra. No entanto, o conjunto tem unidade. Mesmo sem uma arquitetura unificada ou um sistema, existe coerência no todo. Não há bergsonismo, mas há um Bergson, e não vários.

Como reconhecê-lo? A pergunta parece simples, mas se revela bastante complexa. Mais que um estilo ou uma atitude, é a um método singular que o nome de Bergson alude. Sua particularidade: um método que se dedica a desfazer as construções habituais. A cada investigação, Bergson derruba as representações comumente admitidas. Para abordar a experiência pura, é preciso afastar aquilo que a deforma e falseia a percepção. Seu primeiro aspecto, portanto, é negativo. Mas é para melhor voltar aos fatos, aos dados, à experiência íntima que o filósofo se dedica a afastar o véu que a encobre.

Essa abordagem sempre tem dois lados. Por sua precisão, ela evoca o rigor científico. Bergson não cessa de se referir à experiência concreta, à discriminação lógica. Ele quer se colocar na esteira dos fatos, não se afastar daquilo que é ensinado diretamente pela realidade. No entanto, uma vez afastadas as representações fabricadas e os artifícios intelectuais, a realidade experimentada – duração, impulso vital – tem mais de espiritual do que de friamente científico. O resultado da investigação pode inclusive parecer mais místico do que racionalista.

Nisso reside, sem dúvida, seu paradoxo central: ao abordar a metafísica com espírito científico, ele vira as armas do positivismo contra si mesmo. Afirmando-se objetivo, o caminho desemboca, depois de criticadas as representações comuns, em consequências inéditas e aparentemente imprevisíveis.

Esses dois lados explicam, ao menos em parte, o imenso sucesso que Bergson conheceu em vida. Os positivistas o viam como um dos seus – e, em certo sentido, tinham razão. Os religiosos reconheciam nele um filósofo a seu gosto – e, em outro sentido, também tinham razão! Sob os auspícios dessa ambiguidade constitutiva, a glória de Bergson foi súbita e intensa.

A glória fulgurante

No início do século, o Collège de France se tornava, em certos dias, o lugar mais concorrido de Paris. As mulheres da sociedade enviavam criados para guardar seus lugares, carros luxuosos se amontoavam à entrada da venerável instituição, como em noites de estreia na ópera. Alguns espectadores garantiam um lugar para sentar assistindo à aula que vinha antes, um curso de matemática que nunca sonhou com tanta afluência... Para aqueles que não cabiam no anfiteatro, ou do lado de fora das janelas, as portas eram deixadas abertas. Eles ouviam, em pé, de longe, o fio de voz do professor. Henri Bergson, naqueles anos, encarnava o pensamento vivo.

A cultura francesa e grande parte da Europa tinham paixão por esse filósofo rigoroso e exigente que nada, aparentemente, destinava a despertar tamanho entusiasmo. Desde a infância ele colecionava prêmios, sem dúvida. Mas sua extrema gentileza, herdada de uma educação mais britânica do que francesa, se mesclava a uma real modéstia pessoal. Tanto alvoroço em torno de sua pessoa o incomodava.

Os poetas simbolistas o reconheciam praticamente como seu pensador oficial. Os pintores cubistas logo fariam o mesmo. Charles Péguy via nele um libertador de dogmas, Albert Sorel o pintava como um revolucionário. Os católicos se dividiam, alguns eram hostis, outros eram entusiastas. Mas se tornou evidente para todos, em todos os lugares, que aquela filosofia era verdadeiramente a filosofia da época em que viviam.

Foram necessários três séculos para que a figura de Descartes se erigisse e para que o mito desse filósofo representante do espírito francês se construísse. A notoriedade de Bergson, em contrapartida, foi súbita, imensa e breve. Seu fulgor pode ser explicado pelas tensões que a precederam. Na década de 1880, o cientificismo de Hippolyte Taine e de Ernest Renan claudicava.

Uma renovação da metafísica se esboçava. Paul Bourget inclusive anunciava a "bancarrota final do conhecimento científico".

Primeiro "efeito Bergson": atravessar essa disputa de viés. Como dissemos, o filósofo parece estar dos dois lados ao mesmo tempo: ele aplica às questões metafísicas o procedimento experimental. Cada um dos lados pode chamá-lo de seu. Uma segunda etapa é ultrapassada pela transformação de seu pensamento em "filosofia dos dias de hoje". Com os simbolistas, com Sorel, com Péguy, constrói-se um bergsonismo multifacetado, em que se mesclam vitalismo e culto da energia, preocupação espiritual e desconfiança para com o endurecimento da razão.

Essa configuração é resultado, como seria de esperar, de uma mistura de traições e fidelidades. Seja como for, por dezenas de anos tantos debates opuseram intuição e inteligência, tempo e duração, mecânico e vivo, que se tinha a sensação de que ninguém podia escapar a Bergson. Nem mesmo o antissemita Léon Daudet, que se irritava com esse "judeuzinho afetado".

Em 1928, quando Bergson recebeu o Prêmio Nobel, a paisagem havia mudado completamente. Consagrado, ensinado em toda parte, o pensador que se tornara um clássico parecia pertencer ao passado. Não havia mais disputas a seu respeito. O consenso reinava, senão pelos ferozes ataques dos comunistas, em especial Paul Nizan e Georges Politzer.

Um papel político esquecido

Havia, na época, um outro Bergson, hoje bastante esquecido: o político. E não enquanto amador, pois foi no mais alto escalão que Bergson desempenhou um papel importante, ignorado por muitos, na cena internacional. Em 1917, Aristide Briand confiou-lhe a missão de entrar em contato pessoal com Woodrow Wilson, presidente dos Estados Unidos, a fim de convencê-lo a entrar em guerra contra a Alemanha, ao lado dos Aliados. Por que Bergson? Porque ele era famoso? Porque era patriota? Porque falava um inglês quase perfeito? Não apenas por isso.

Era enquanto filósofo que ele devia obter a confiança de Wilson, fortalecendo a imagem ideal que este tinha de si mesmo. O objetivo era convencê-lo do apoio francês e, acima de tudo, da adesão dos Aliados à concepção de "paz sem vencedores" de Wilson. O sucesso da missão de Bergson foi absoluto. Foi em parte graças ao autor de *Ensaio sobre os dados imediatos da consciência* que a História, que até então girava da Europa para a América, começou a girar em sentido contrário.

Segunda missão: Brest-Litovsk, onde foi assinada a saída da Rússia revolucionária do conflito mundial. O papel de Bergson, dessa vez, foi mais modesto. Mas ele de novo se viu no primeiro plano da ação política com a criação, entre 1922 e 1925, a pedido da Liga das Nações, da Comissão Internacional de Cooperação Intelectual. Bergson foi responsável por criar fundos, inventar programas, convencer homens de Estado, reunir cientistas (Einstein, Marie Curie, entre outros!), promover reuniões, inventariar necessidades.

"Uma bólide caiu em minha vida", ele diria mais tarde, "que estava organizada de tal modo que não havia espaço nem para um alfinete." O mínimo que podemos dizer é que o piloto se saiu bem: devemos ao sucesso dessa primeira instituição cultural internacional a criação, em 1946, em outro contexto, da UNESCO. Se até hoje a sede dessa comissão cultural da ONU fica em Paris, e se o espírito filosófico nunca foi totalmente apagado de seu seio, é graças ao impulso inicial dado por Bergson.

A última lição

Pensador que constava entre os mais ilustres e mais homenageados do século, coberto de títulos e honrarias – Collège de France, Prêmio Nobel, Academia Francesa, condecorações variadas –, Bergson foi um constrangimento para o governo de Vichy: era judeu e patriota. Propuseram-lhe que trocasse a Legião de Honra por um título extraordinário: "Ariano Honorário"... O filósofo declinou da oferta, como aliás de todos os privilégios ou salvo-condutos. A ponto de faltar carvão à sua burguesa casa parisiense, no mês de janeiro de 1941, e ele pegar uma pneumonia. Que o levou ao coma.

A imprensa relatou sua morte da seguinte maneira: "Os que acompanhavam sua agonia tinham a sensação de que sua morte seria iminente, quando subitamente o ilustre filósofo começou a falar. Ele deu uma aula de filosofia, por uma hora. Articulou muito bem as palavras. Pronunciou frases claras. Sua lucidez desorientou os que o ouviam. Até que disse: 'Senhores, são cinco horas. A aula terminou'. E expirou". O que ele disse nessa aula derradeira? Ninguém parece ter tomado notas ou lembrar. O filósofo Léon Brunschvicg escreveu lembranças parecidas, com alguns detalhes diferentes: "Na última noite, ele pensou estar no Collège de France; deu uma aula. E disse: 'São cinco horas, preciso parar'. E morreu".

Terá Bergson, ao morrer, de fato dado essa aula fantasma pensando estar no Collège de France? Ou no liceu de Clermont-Ferrand? Ou no de Angers, onde teve seu primeiro emprego? Terá pronunciado, como de hábito, frases fluidas e incisivas, encontrando um derradeiro momento de tranquilidade, terá dado um derradeiro e sereno passeio? Ele havia descrito, com a delicada fluidez que caracteriza seu estilo, as últimas horas de Félix Ravaisson: "Foi entre esses elevados pensamentos e essas graciosas imagens, como se percorresse uma alameda margeada por árvores magníficas e flores perfumadas, que ele avançou até o derradeiro instante, indiferente à noite que chegava, preocupado apenas em olhar de frente, na linha do horizonte, o sol que revelava melhor sua forma com o enfraquecimento de sua luz". Terá sido assim para ele, naquela noite?

Ou terá seu espírito, sob a habitual clareza de suas frases, sido invadido pelo horror que varria a Europa, pela humilhação que ele tinha acabado de sofrer tendo que ir declarar-se judeu à polícia francesa, amparado por enfermeiros, pelo desespero gerado pela barbárie triunfante? Nunca saberemos: a biografia tem seus limites.

Bergson detestava a ideia de que vasculhassem sua vida, por isso deixou instruções bem específicas. Além de mandar destruir suas anotações, seus papéis pessoais, a maior parte de sua correspondência, o filósofo proibiu em testamento qualquer tipo de publicação póstuma. Somente sua obra, tal como relida e aprovada por ele, devia falar por sua pessoa. Para dissuadir os biógrafos, ele ditou a seguinte nota, sem meias palavras, em que certas passagens foram enfatizadas a seu pedido: "Insistir no fato de que sempre pedi para que não se ocupassem de minha *vida*, que se ocupassem apenas de meus *trabalhos*. Sempre afirmei que a vida de um filósofo não lança qualquer luz sobre sua doutrina e que ela não diz respeito ao público. Tenho horror a essa publicidade, no que me diz respeito, e lamentarei para sempre ter publicado obras se essas obras me atraírem essa publicidade".

Com a ajuda da glória, com a insistência da posteridade, todas essas declarações se tornaram letra morta. A biografia de Bergson foi escrita, sua correspondência foi editada, os cadernos de aula de seus alunos foram publicados, bem como suas anotações pessoais... Sua vontade foi desprezada, mas pouca coisa a mais foi descoberta. Seus livros bastam. São completos o suficiente para não serem modificados pelo conhecimento daquilo que os precede ou daquilo que os acompanha.

O mais importante, no fim das contas, é a experiência de ler Bergson, que cada um pode ter quando quiser. Nada substitui esse encontro efetivo, fiel ao eixo central de seu pensamento. Bergson é um desses mestres que nos obrigam a entrar em movimento por nós mesmos.

De Bergson, o que ler primeiro?

Em vez de abordar a obra de Bergson como sempre se faz, começando por um pequeno livro intitulado *O riso* – interessante, clássico no gênero, mas marginal em relação à essência de sua obra –, é possível entrar nela diretamente por seu primeiro estudo, o *Ensaio sobre os dados imediatos da consciência*, com o auxílio, quando necessário, de uma boa edição anotada, como a nova edição lançada pela PUF [Presses Universitaires de France] na coleção "Quadrige".*

---

* BERGSON, Henri. *Essai sur les données immédiates de la conscience*. Édition critique dirigée par Frédéric Worms. Paris: PUF, 2013. (Coleção Quadrige.) (N.T.)

E depois?

É possível continuar com a leitura de *Matéria e memória* e de *As duas fontes da moral e da religião*.

Sobre Bergson, o que ler para ir mais longe?

As principais obras de Bergson foram reeditadas há pouco, com novo formato, em livro de bolso, com introduções e notas sob a responsabilidade de Frédéric Worms (PUF). Nunca é demais recomendar essa edição.

Entre as análises de seu pensamento, pode-se ler:

DELEUZE, Gilles. *Bergsonismo*. Tradução de Luiz B. Lacerda Orlandi. São Paulo: Editora 34, 1999.

JANKÉLÉVITCH, Vladimir. *Henri Bergson*. Paris: PUF, 1999. (Coleção Quadrige.)

VIEILLARD BARON, Jean-Louis. *Compreender Bergson*. Tradução de Mariana de Almeida Campos. Petrópolis, RJ: Vozes, 2007.

WORMS, Frédéric. *Bergson ou os dois sentidos da vida*. Tradução de Aristóteles Angheben Predebon. São Paulo: Unifesp, 2010.

☞ Com Bergson, para encontrar a verdade da experiência é preciso afastar as falsas representações e os conceitos deformantes e mergulhar no movimento da vida.

☞ Com William James e aquilo que ele chama de "pragmatismo", a verdade também é definida a partir da experiência, mas de maneira diferente: ela é aquilo que funciona. O que isso significa exatamente?

- **Nome: WILLIAM JAMES**
- **Ambiente e meio**

Irmão do romancista Henry James, William James recebeu uma educação principesca numa rica família americana de origem irlandesa e passou grande parte da vida viajando, sempre escrevendo e ensinando.

- **10 datas**

1842 Nasce em Nova York.
1855-66 Viagens para a Europa e para o Brasil.
1869 Doutorado em Medicina, em Harvard.
1876 Funda o laboratório de psicofísica da Universidade de Harvard.
1890 Publica *The Principles of Psychology*.
1895 Cátedra de filosofia em Harvard.
1895-98 Viagens para a Europa.
1900 Professor em Stanford.
1906 Conferências em Columbia: *What Pragmatism Means*.
1910 Morre em 26 de agosto, em sua casa de campo.

- **Conceito de verdade**

A verdade, para William James:
é uma crença verificada pela experiência,
está ligada a seu valor prático,
é relativa a seus efeitos ou consequências,
e portanto, não possui valor intrínseco.

- **Uma frase-chave**

"Um homem sem filosofia é o mais desfavorável e o mais estéril de todos os companheiros possíveis."

- **Posição ocupada no pensamento contemporâneo**

Muito estimado em vida, William James caiu em relativo esquecimento antes de voltar ao centro das atenções de inúmeros filósofos, tanto nos Estados Unidos quanto na Europa, na última metade do século XX.

Capítulo 2

Onde William James se livra da metafísica com a ajuda de um esquilo

Henri Bergson e William James – dezessete anos mais velho que o primeiro – se conheciam e admiravam. A correspondência que trocaram é prova disso. Tinham características em comum: senso do concreto, gosto por psicologia e parapsicologia, zelo da renovação constante, escolha deliberada de falar com clareza. Além disso, apesar da diferença de idade, eles publicaram obras essenciais quase ao mesmo tempo. Em 1906 e 1907, William James pronunciou em Columbia as conferências que deram origem a um livro sobre o pragmatismo, enquanto Bergson publicou *A evolução criadora*.

Ao ler esse livro, William James escreveu a Bergson: "O senhor é um mágico, e seu livro é uma maravilha, um verdadeiro milagre na história da filosofia [...] de uma beleza formal que o tornará um clássico". Em geral, os filósofos não elogiam uns aos outros com muita facilidade. É raro ver felicitações do tipo. Bergson, ao prefaciar a tradução francesa da obra de James intitulada *O pragmatismo*, em 1917, sete anos depois da morte do autor, não hesitou em escrever: "Ninguém amou a verdade com mais ardente amor. Ninguém a buscou com mais paixão. Uma imensa inquietação o movia; e, de ciência em ciência, da anatomia e da fisiologia à psicologia, da psicologia à filosofia, ele seguia, debruçado sobre os grandes problemas, despreocupado com o resto, esquecido de si mesmo".

Esta seria, a bem dizer, uma boa síntese. Elíptica demais, talvez. William James foi um personagem complexo, tanto romanesca quanto cientificamente falando. Filho de um homem excêntrico e riquíssimo, discípulo do pensador esotérico Swedenborg, William era o irmão mais velho do romancista Henry James. Nessa curiosa família de origem irlandesa que fez fortuna nos Estados Unidos as viagens pelo mundo eram uma maneira de se instruir. Durante a juventude, William partiu regularmente de Nova York para novos périplos, pela Europa ou alhures. Sua vida principesca pouco a pouco se transformou num constante apetite por descobertas. Como falava alemão e francês tão bem quanto inglês, não lhe faltavam alternativas. Às vezes, essa fome de aprender se transformava numa verdadeira bulimia de saberes.

Ao lermos seu *Journal*, constatamos que por volta dos vinte anos ele estudou ao mesmo tempo geologia, eletrodinâmica, Revolução Francesa, sânscrito e o pensamento de Charles Sanders Peirce! Se somarmos a isso uma paixão pela biologia, uma grande viagem ao Brasil com um adversário de Darwin, uma longa depressão da qual ele acabou saindo ao compreender, com Renouvier, que o livre-arbítrio decorre da convicção de que somos livres, percebemos o quanto se trata de um personagem singular.

Uma irmã gravemente histérica, uma noiva tão atormentada quanto ele próprio, uma saúde mais frágil que a própria fortuna e uma carreira universitária tão brilhante quanto incomum completam esse destino rico em cores, bastante de acordo com uma de suas máximas a respeito do trabalho: "Sempre é preciso ir longe demais". William James se dirigiu, por exemplo, em 18 de abril de 1906, a uma São Francisco em chamas, enquanto os abalos de um terremoto ainda se faziam sentir, para estudar as reações de uma coletividade durante uma catástrofe. Porque ele era, acima de tudo, um psicólogo.

Da psico à filo

Seus *Principles of Psychology*, obra monumental publicada em 1890, criaram, em 1.377 páginas, uma nova disciplina. Antes dele, a psicologia se baseava em princípios teológicos. As análises feitas sob esse nome não eram do âmbito da positividade científica. Para William James, porém, a psicologia devia ser uma ciência baseada na fisiologia. Ela constituiria um conhecimento independente, rigoroso, se possível experimental. Essa ruptura foi vista como uma revolução.

Mas William James já estava em outra. Depois de ter criado em Harvard o primeiro laboratório americano de psicologia experimental, ele se interessou pelas religiões, pela definição da verdade, pelo método em filosofia. E é aqui que, para nossos fins, convém tentar imobilizá-lo por um instante. Pois a mudança de perspectiva que ele introduz no pensamento é decisiva.

Na tradição filosófica, desde sempre a verdade, quando existente, é imutável. Dois e dois serão quatro amanhã, como foram ontem. Essa invariabilidade também vale para o lugar: o resultado verdadeiro não difere de um lugar para outro, ele é o mesmo ao sul e ao norte dos Pirineus. Quando isso não acontece, fala-se de opinião, de crença, mas não de verdade. Essa foi a velha base que o "pragmatismo" de William James abalou, ou derrubou totalmente.

A seus olhos, verdade e crença, no fim das contas, são a mesma coisa. A verdade é uma crença que funciona, de consequências práticas que podem ser constatadas. "Ser verdade" não é uma qualidade estática, mas o resultado de um processo. O criador do pragmatismo diz isso explicitamente: "A verdade de uma ideia não é uma propriedade estagnada que lhe é inerente. A verdade *chega* a uma ideia, ela é *tornada* verdade pelos acontecimentos. Sua verdade *é* esse acontecimento, esse processo, o processo de verificar a si mesmo, de sua verificação".

Em outras palavras, toda verdade é relativa. Relativa às condições de seu surgimento, às inclinações ou temperamentos que ela revela. Relativa também, e principalmente, às consequências que dela decorrem e que a tornam mais ou menos importante ou interessante. É o que ensina a fábula – não ousaríamos dizer a parábola – da árvore, do homem e do esquilo. William James a inventou, nas conferências de 1906 e 1907 em Columbia, para esclarecer o que ele entendia por "pragmatismo", "um nome novo para antigas formas de pensar".

Em torno da árvore

O esquilo é ágil, o homem quer observá-lo. A árvore se interpõe entre eles. Toda vez que o homem avança, o esquilo também avança. O observador não vê nada, portanto: ele contorna a árvore ao mesmo tempo que o esquilo a contorna, do lado oposto... Se alguém perguntar "O homem está circundando o esquilo?", o que podemos responder? Sim, dirão alguns, o homem de fato circunda o animal, pois está girando em torno da árvore. Não, dirão outros, ele nunca foi confrontado com o esquilo, nunca o viu de frente, portanto não podemos dizer que o circunda.

Por que o uso desse quebra-cabeça aparentemente insolúvel e desinteressante? Ele serve para mostrar o seguinte: o fato de estabelecermos que é verdade que o homem circunda o esquilo ou, pelo contrário, se demonstrarmos que não o faz não muda absolutamente nada *do ponto de vista das consequências práticas*. Elas não estão contidas na pergunta. O que mudaria, para a humanidade, se fosse estabelecido que o homem circunda o esquilo? Ou que não o faz? Nada, absolutamente nada! Mesmo limitando a análise àqueles que sustentam uma ou outra solução, percebemos que nenhum inconveniente ou vantagem decorre, para ninguém, de uma solução ou de outra.

Essa verdade sem consequências é, para James, sem conteúdo, sem consistência, sem existência. O problema é vão em si mesmo. E é preciso ir até o fim desse raciocínio: praticamente todas as grandes interrogações da metafísica estão na mesma situação. Seja qual for a resposta dada, suas consequências sobre a vida humana são nulas. O mundo ser finito ou infinito, termos ou não uma alma imortal não mudam praticamente nada da existência real. Esses grandes dilemas parecem cruciais. Na realidade, não têm importância.

Constata-se que a abordagem do pragmatismo tem pouco a ver com o sentido desse termo no vocabulário cotidiano. Ser pragmático – em política, em negócios, nas decisões pessoais – em geral consiste em ser realista e não dogmático, em fazer as vantagens concretas passarem na frente dos ideais e dos princípios. Trata-se, em suma, de saber adaptar-se, em nome do interesse em vista.

Experiência e democracia

O que está em questão com William James é algo absolutamente diferente. O pior contrassenso sobre seu pensamento é confundi-lo com a ideologia do homem de negócios preocupado apenas com resultados (o que conta, o que funciona). Esse erro de interpretação, reforçado por preconceitos antiamericanos e anticapitalistas, foi bastante comum na Europa. Ele impediu que se compreendesse a originalidade dessa análise. Pois o pragmatismo, longe de ser uma ideologia do resultado, é uma filosofia da experiência. Sua atitude se quer próxima da atitude científica. Sua concepção de verdade está mais voltada para o futuro do que para o passado: ela não consiste em proclamar verídica uma ideia que produz consequências práticas, ela considera que uma ideia se torna mais ou menos verdade em função dos efeitos que dela resultam. Ela é ao mesmo tempo uma filosofia da ciência e uma filosofia da democracia.

Pois a política democrática é o campo em que o processo de construção da verdade se torna mais nítido. A democracia não é guiada ou coagida por nenhuma lei imutável. Sua verdade é da mesma ordem dos acontecimentos: ela é elaborada e redefinida à medida que suas consequências vão aparecendo. No regime democrático, nenhum modelo perfeito encima a realidade para ditar normas intangíveis. A política está sempre "*in the making*", sendo feita – redes de interações, transformações, experimentações. Por isso a noção de experiência é central para a democracia, como também para o pragmatismo. A experiência, aqui, sempre designa um processo de transformação. Ela não consiste em impor às coisas uma ordem predefinida, em realizar um plano preestabelecido. Pelo contrário: a experiência transforma as coisas, e também aquele que a realiza. No fim das contas, sujeito e objeto moldam um ao outro, se modificam reciprocamente. Essa correlação também vale para o mundo e para a reflexão, ou ainda para a natureza e para a sociedade.

O pragmatismo, portanto, é o oposto de um sistema filosófico, com ordem, construção fixa, deduções obrigatórias. Ele designa, mais exatamente, o modo de pensar utilizado para esvaziar velhas noções que atravessaram os séculos sem receber a devida estocada que lhes seria fatal. Além disso, os pensadores que se filiam ao pragmatismo, segundo modalidades diversas, o concebem como um pensamento evolutivo, não como uma doutrina estática.

Uma constelação de pensadores

Restringir essa atitude à obra de William James seria uma perspectiva de pequeno alcance. A palavra e a ideia do pragmatismo foram forjadas por Charles Sanders Peirce (1839-1914) no "Clube Metafísico" que ele mantinha em Cambridge (Massachusetts) e do qual William James participava. Apesar de as análises dos dois divergirem em pontos essenciais, uma atitude básica lhes era comum. A mesma postura também pode ser encontrada na obra de John Dewey (1859-1952).

Ao longo de uma longa vida (morreu aos 92 anos e manteve-se ativo quase até o fim da vida), Dewey passou de Hegel a Darwin, e de William James à elaboração de seu próprio pragmatismo, cujas etapas podemos seguir ao longo dos 37 volumes de seus *Collected Works*. Esse filósofo colocou o foco de suas reflexões na educação e na democracia. Convencido de que a dinâmica da experiência era essencial, elaborou um sistema educativo centrado nas buscas e nas necessidades da criança, mas também na pertinência das soluções encontradas pelas ciências e pelas técnicas.

Sua originalidade consistiu em postular que havia um ponto comum entre aquilo que os saberes humanos construíram na história e aquilo que as crianças buscam para solucionar os problemas que o mundo lhes apresenta. Dewey se opunha, portanto, aos pedagogos que só enfatizavam os conhecimentos, os programas e os conteúdos a serem transmitidos. Mas ele também se afastava daqueles que só acreditavam nas descobertas intuitivas e no livre desenvolvimento das capacidades criadoras espontâneas. O essencial, para ele, era acabar com a oposição radical entre o mundo e o espírito, entre o pensamento e a ação. Por isso insistiu, como bom pragmatista que era, nas criações contínuas e nas verdades-processos.

A democracia, para ele, também é o melhor exemplo dessas transformações sem fim: tudo está constantemente em jogo. Para Dewey, ela é muito mais que um simples quadro institucional, mais até que um sistema político. "A democracia não é uma forma de governo", ele sempre repetia. Ela é uma maneira de viver que está constantemente definindo suas próprias normas. A política, nesse sentido, é experimentação. Com a condição de que o público não esteja ausente, de que ele não seja despossuído do poder pela complexidade das questões e pelo reinado dos especialistas.

O pragmatismo exerceu sobre o pensamento contemporâneo uma influência ora subterrânea, ora visível. O pensamento de Gilles Deleuze carrega sua marca, em parte por intermédio de Bergson, próximo de William James, mas também por intermédio de Jean Wahl, que tornou conhecidos, num livro de 1920, "os filósofos pluralistas da Inglaterra e da América". De maneira mais decisiva, uma parte da filosofia americana contemporânea se liga à atitude pragmatista, em especial a obra de Richard Rorty e, hoje, a de Richard Shusterman, que enfatizou a singularidade de uma abordagem pragmatista da estética. Centrada nas artes populares, na experiência do homem comum, ela imediatamente se opõe à intimidação feita pelos iniciados aos profanos. Aqui também o pragmatismo se apresenta, acima de tudo, como uma filosofia da experiência: "Só nos apropriamos realmente da importância de uma obra de arte", escreve Dewey, "quando realizamos em nossos próprios processos vitais os processos que o artista realizou para produzir a obra".

William James e os pragmáticos, como Bergson, são do tipo de mestres que nos devolvem a nós mesmos. Em vez de impor uma concepção monolítica da verdade, eles insistem no pluralismo, na diversidade dos temperamentos, no fato de que os itinerários são múltiplos. Mais uma vez, o importante são as consequências.

De William James, o que ler primeiro?

É por *Pragmatism: A New Name for Some Old Ways of Thinking* que convém entrar no universo de William James. Essas conferências, proferidas em Boston (em novembro e dezembro de 1906) e em Columbia (em janeiro de 1907) são acessíveis e profundamente inovadoras. Há uma excelente tradução francesa recente, por Nathalie

Ferron (Flammarion, "Champs", 2007, com prefácio de Stéphane Madelrieux).

E depois?

Continuar com a leitura de *Essays in Radical Empiricism* e *Psychology. Briefer Course.*

Sobre William James, o que ler para ir mais longe?

MEULDERS, Michel. *William James.* Paris: Hermann, 2010.

LAPOUJADE, David. *William James: empirisme et pragmatisme.* Paris: Les Empêcheurs de penser en rond, 2007.

MADELRIEUX, Stéphane. *William James: l'attitude empiriste.* Paris: PUF, 2008.

COMETTI, Jean-Pierre. *Qu'est-ce le pragmatisme?* Paris: Gallimard, 2010. (Coleção "Folio").

☞ *O pragmatismo de William James insiste na influência exercida por nosso temperamento e nossas experiências pessoais naquilo que consideramos verdadeiro.*

  ☞ *Freud vai mais longe no mesmo sentido, afirmando que nossas inclinações secretas, escapando a nosso conhecimento, conferem ao que acreditamos uma nova verdade.*

- **Nome: SIGMUND FREUD**
- **Ambiente e meio**

A Viena do fim do século XIX e do início do século XX, um dos focos mais extraordinários de criação intelectual e artística dos tempos modernos.

- **9 datas**

1856 Nasce em Freiberg (hoje Pribor, na República Tcheca).
1860 Chegada da família a Viena.
1885 Torna-se Privat Dozent. Segue o curso de Charcot em Paris.
1895 Publica, com Joseph Breuer, os *Estudos sobre a histeria*.
1900 Publica *A interpretação dos sonhos* (Die Traumdeutung).
1905 Publica *Três ensaios sobre a teoria da sexualidade*.
1920 Publica *Para além do princípio de prazer*.
1938 Exílio em Londres, expulso pelos nazistas depois da anexação da Áustria ao Terceiro Reich.
1939 Morre em Londres, no dia 23 de setembro.

- **Conceito de verdade**

A verdade, para Sigmund Freud:
escapa totalmente ou em parte à consciência do sujeito,
pode ser reconstituída pelo trabalho de decifração psicanalítica,
é desagradável e desperta resistências e negações.

- **Uma frase-chave**

"Se não conseguirmos ver com clareza, pelo menos veremos claramente as obscuridades."

- **Posição ocupada no pensamento contemporâneo**

Imensa, pois as ideias centrais da psicanálise – por meio das diferentes escolas que elas suscitaram, das criações que inspiraram ou das querelas que despertaram – estão no centro de grande parte dos pensamentos do século.

Capítulo 3

Onde Sigmund Freud consegue dissociar conhecimento e verdade

Freud, um filósofo? Em certo sentido, não. Ele dizia que não fazia filosofia. Inúmeras vezes marcou sua distância, e sua desconfiança, em relação a ela. Tinha tendência, inclusive, a compará-la explicitamente ao pensamento mágico: os filósofos cometiam o erro de acreditar que, examinando questões puramente teóricas, resolveriam, de quebra, problemas reais. Na atitude filosófica e no pensamento mágico Freud percebia o mesmo recurso a uma crença na onipotência do pensamento: pronunciando algumas fórmulas, muda-se o mundo... Esse é o sonho dos filósofos.

Apesar da crítica implícita e explícita à filosofia, Freud ocupa um lugar legítimo entre os filósofos que marcaram o pensamento do século XX. Em primeiro lugar, porque suas críticas não o impediram de ler detidamente os filósofos e inspirar-se neles. Depois, e o que é mais importante, porque Freud transformou problemas centrais da filosofia clássica. Essas metamorfoses tiveram profundas repercussões na filosofia contemporânea.

Retorno às experiências

No início da carreira, Sigmund Freud era médico. Ele passou do anonimato à notoriedade mundial num espaço de tempo relativamente curto. Nascido numa família de comerciantes judeus bastante modesta, chegou ao fim da vida como uma estrela mundial, grande figura intelectual de seu tempo, reconhecido por todos como um pensador e um pioneiro de grande importância. Ele sempre havia sonhado com esse destino. Quando jovem, Freud era animado por uma intensa vontade de saber, um desejo de descobrir novos territórios para o conhecimento e a razão. Falou explicitamente de sua "exigência" precoce em "entender o mínimo que fosse os enigmas do mundo que nos cerca".

Esse desejo de saber também foi sustentado, de maneira muito viva, por um projeto constante de renome e glória. Freud sempre demonstrou uma vontade tenaz de se tornar famoso. Desde a juventude, cultivou a esperança de se tornar um grande homem, sofrendo vários reveses antes de chegar lá, mas sem nunca renunciar a essa ambição fundadora.

Médico, ele se especializou em neurologia – no sentido rigorosamente anatômico e fisiológico do estudo do sistema nervoso: as primeiras pesquisas do jovem Freud foram sobre os testículos das enguias. A orientação de seu trabalho era, na época, apenas fisiológica, e não psicológica. Foi devido a uma confusão com as palavras que lhe foram dirigidos pacientes com problemas psíquicos: como sofriam de algo "nervoso", eram enviados a um especialista em nervos...

Pouco a pouco, Freud se voltou para a psicologia, começando pela hipnose. Graças a uma bolsa, foi estudar em Paris as doutrinas e práticas de Charcot na Salpêtrière, e depois foi a

Nancy estudar com Bernheim. A hipnose, que começou a praticar como um método terapêutico com Joseph Breuer, o conduziu a campos pouco explorados do psiquismo.

A descoberta do inconsciente e a construção progressiva daquilo que Freud chamaria de psicanálise resultaram em inúmeras publicações. Ele mesmo descreveu, e milhares depois dele, como foi que substituiu a hipnose pela regra da "associação livre", os caminhos que seguiu para elaborar a interpretação dos sonhos, a lógica que utilizou para construir conceitos fundamentais (pulsão, recalque, censura, formação de compromisso...).

Mas que nova luz ele lançou sobre antigos problemas filosóficos? Apesar de dizer que não fazia filosofia, Freud abordou questões centrais dessa disciplina – a ponto de reformulá-las completamente, em certos casos. Essa metamorfose não aconteceu de repente. Freud modificou profundamente a própria ideia de verdade e sua relação com o conhecimento por meio de um longo processo que atravessou toda a sua obra.

Pois seus conceitos estavam sempre evoluindo e sendo reorganizados. Não havia nada de fixo em seu trabalho teórico. Seu método estava constantemente em movimento: não se limitava a repetir intuições prévias ou aperfeiçoar o sistema inicial de explicações. Freud às vezes abandonava algumas ideias, propunha novas organizações de conceitos – de uma maneira que pode lembrar o movimento do pensamento bergsoniano ou o empirismo de William James.

A singularidade do pensamento psicanalítico se deve à preocupação de adaptar a teoria ao que é revelado, ao longo do tratamento, durante a escuta dos pacientes e seus relatos.

Aquilo que emerge de análises em andamento leva Freud a reelaborar suas ideias com regularidade, e mesmo a fazê-lo mudar de perspectiva. O percurso é longo, complexo, rico em obstáculos e impasses, bem como em novos impulsos.

O pensamento inconsciente

O primeiro marco dessa trajetória foi sem dúvida a descoberta do inconsciente. É preciso enfatizar o que houve de verdadeiramente novo, do ponto de vista filosófico, na afirmação de que existe um inconsciente *psíquico*, descoberta que constitui a base da psicanálise e de suas elaborações teóricas. Um século depois, acostumados a ouvir falar de "pensamentos inconscientes", não percebemos mais a estranheza, e inclusive o escândalo, que essa simples expressão pode ter representado para a filosofia.

O termo "inconsciente" existia antes de Freud, mas sempre significava "ausência de consciência" e, *portanto, de pensamento*. Uma pessoa desmaiada é considerada "inconsciente": ela não tem lucidez, perdeu todo contato com o meio que a cerca. A matéria inerte também é inconsciente: um pedaço de madeira está desprovido de qualquer forma de consciência e, portanto, de pensamento. Em outro registro, dessa vez no sentido moral, julgamos "inconsciente" a pessoa irresponsável que não se dá conta do que faz.

Antes de Freud, os filósofos chamavam de "inconscientes" todos os processos automáticos que têm lugar no corpo. Não tenho consciência de que minhas unhas crescem, de que minhas células se renovam, de que meus pulmões extraem o oxigênio do ar. Uma longa tradição filosófica aceitava a ideia do inconsciente para designar tudo o que é orgânico, desprovido de consciência, exterior ao pensamento. Antes de Freud, a divisão era simples: ou lidamos com a consciência, portanto com o pensamento, ou lidamos com o que está fora do pensamento, com o inconsciente material ou orgânico. Não existe "pensamento" sem consciência, "inconsciente" designa o que está fora do pensamento.

Falar em "pensamento inconsciente", portanto, parecia algo disparatado. Com Freud e a psicanálise, foi preciso que psiquismo e consciência se dissociassem, que a consciência se tornasse a característica de apenas uma parte dos processos psíquicos. Vários tipos de coisas em nós (desejos, representações, emoções) são pensadas, deduzidas, associadas ou excluídas sem que tomemos consciência. Assim, podem existir pensamentos "em mim" – em meu psiquismo – sem que eu saiba, sem que eu veja. Houve uma revolução na maneira de considerar a consciência e o próprio pensamento.

O pensamento aparece, então, como uma série de processos que acontecem sem que minha consciência perceba. Independentemente de minha vontade, e sem que eu saiba, pensamentos se transformam, se deslocam, se fundem ou combinam, entram em conflito. Questões novas – e consequências filosóficas maiores – decorrem disso. Por exemplo: qual a natureza desse pensamento que me escapa? Ele está em mim? O que a palavra "pensamento" passa a significar?

Um psiquismo conflituoso

Segundo marco essencial da descoberta freudiana: a constituição do pensamento inconsciente resulta de um jogo de forças. O inconsciente psíquico provém de conflitos por meio dos quais o sujeito colocou de lado, de maneira automática, certos pensamentos – desejos ou representações – que não eram suportáveis para sua integridade psíquica. Quando se fala em inconsciente psíquico, supõe-se uma perspectiva dinâmica no pensamento psicanalítico: a constituição do inconsciente é explicada por relações de força.

Alguns desejos são recalcados, postos de lado, excluídos. Mas eles não são extintos. Eles persistem, querem vir à tona e tentam retornar, sendo preciso continuar a resistir. Nosso psiquismo não está simplesmente dividido entre um registro consciente e um registro inconsciente, como entre uma zona clara e uma zona escura. A divisão resulta de tensões antigas, e permanece conflituosa, de maneira mais ou menos aguda, em cada indivíduo. "A *psique* é um campo de batalha entre tendências opostas", enfatizou Freud em *Introdução à psicanálise* (1915).

Ponto essencial. Apesar de o conflito corresponder a estruturas globais, ele se desenrola a cada vez no âmago de uma biografia particular, com uma história específica, uma trajetória pessoal. Para Freud, cada inconsciente é singular. E ele precisa ser explorado, tanto quanto possível, em sua singularidade. Não há nada mais estranho à psicanálise freudiana do que as interpretações prontas e as leituras estereotipadas.

O que opôs Freud a Jung foi justamente a questão do caráter singular do inconsciente de cada indivíduo. Jung concebeu a ideia de arquétipo e se afastou de Freud ao afirmar que existem grandes mitos, amplos registros simbólicos primordiais que marcam a psique coletiva. Essas marcas psíquicas, comuns a toda a humanidade, residem, segundo Jung, dentro de cada um de nós. Freud insiste, pelo contrário, na singularidade do inconsciente de cada sujeito.

Para ele, cada ser humano se vê confrontado ao fato de ter nascido, de conhecer a linguagem, de aprender a existência da realidade, de descobrir a obediência e a revolta diante da autoridade. Todas essas aventuras, em certo sentido, podem ser entendidas como consequências do encontro de um pacote de carne com o universo da língua. Como nasce cedo demais, muito antes de saber falar, todo ser humano entra num mundo de palavras que o precede. Ele precisa se localizar, encontrar seu lugar, inscrever suas próprias frases. O que não acontece sem conflitos, crises e remanejamentos psíquicos de todos os tipos.

Esse conjunto, porém, a cada vez é configurado de maneira única. Cada um vive essas aventuras comuns num contexto diferente. Tudo depende, é preciso ressaltar, de quem são os pais, a família, os acidentes da vida infantil, o meio social, o ambiente histórico. Nesse entrelaçamento de acaso e necessidade, a história de cada desejo é construída passo a passo. A sexualidade humana não é um instinto biológico programado de modo fixo, como o das espécies animais. Ela resulta de um processo complexo. Esse é outro ponto da mesma abordagem.

Uma sexualidade estendida

Por que o psiquismo se forma por meio de conflitos? Por causa da existência da sexualidade infantil – terceiro aspecto da descoberta de Freud. A sexualidade não surge nos homens durante a puberdade. Ela é moldada, desde a mais tenra infância, ao longo de fases sucessivas, remodelamentos e conflitos – intensos e violentos – que são objeto de repressões e fabricam representações inconscientes.

A ideia de que as crianças têm uma sexualidade – primeiro oral, depois anal, antes de se fixar especificamente nos órgãos genitais – chocou muito os contemporâneos de Freud. Os *Três ensaios sobre a teoria da sexualidade*, publicados em 1905, contribuíram amplamente para valer-lhe, na época, uma reputação demoníaca. Ainda hoje, algumas pessoas continuam achando essa ideia difícil de aceitar.

Para os seres falantes, a sexualidade é o resultado de uma elaboração psíquica, de um longo percurso que resulta na constituição do desejo. E esse desejo não é pura e simplesmente corporal, físico e orgânico. Apesar de evidentemente inscrito na carne, ele também é constituído por processos psíquicos. Na concepção freudiana de sexualidade – que se torna o nome geral para o gozo físico, o prazer corporal e o desejo, e não apenas uma denominação do ato sexual –, o mais importante é o fato de que ela é elaborada ao longo de uma história individual. Ela não é o desenvolvimento de um instinto, sempre idêntico e fixo.

Se reunirmos os diferentes elementos evocados – o inconsciente psíquico, os conflitos, o processo de construção do desejo –, o resultado será uma concepção de sujeito muito diferente da concepção filosófica clássica.

Um sujeito dividido

Na perspectiva de Freud, o sujeito não pertence inteiramente a si mesmo. Ele pode pensar que toma decisões livres, que escolhe soberanamente seus objetivos e seu destino... na verdade, ele se conta histórias. Seria excessivo, e simplista, concluir que somos inteiramente determinados, vítimas de um destino implacável que nos é desconhecido. No entanto, nossa margem de manobra, nossa faixa de liberdade, é mais reduzida do que acreditamos, mais constrita do que pensamos.

Essa divisão se manifesta no próprio sonho: sem o conhecimento do sonhador, processos complexos (condensações, deslocamentos) criptografam o desejo inconsciente, que se realiza. Sonhando, portanto, realizamos alguns de nossos desejos inconscientes, mas neles vemos apenas "fumaça", como se diz. O sonho combina elementos que a realidade dissocia: uma pessoa pode ter o rosto de outra, com a maneira de falar de uma terceira e, por fim, não ser nenhuma das três. No fim das contas, o "conteúdo manifesto" do sonho – aquilo que conseguimos lembrar e que podemos contar durante o café da manhã... – difere enormemente do "conteúdo latente", isto é, oculto, que podemos encontrar ao desmontar passo a passo a codificação.

Esquematicamente, o sonho aparece, depois de Freud, como um enigma para crianças, em que é preciso encontrar um coelho escondido no desenho, dissimulado no formato de uma nuvem ou na forma das folhas de uma árvore. A censura do sonho deforma as representações para que elas não sejam inteligíveis à consciência. O resultado desse trabalho é um compromisso entre duas forças opostas: o desejo inconsciente se expressa, mas é irreconhecível – a censura é satisfeita, mas é neutralizada.

O sujeito aparece, portanto, como separado de si mesmo: eu sonho sem saber o que é expresso nessas imagens e histórias. Do mesmo modo, ignoro o que podem significar os erros e os esquecimentos cotidianos que atribuo ao acaso, bem como a série de pequenas ou grandes obsessões, preocupações e cerimônias rituais que pontuam a vida diária. Por fim, em toda ação, alguma coisa escapa àquele que age.

É possível, portanto, que em todo pensamento alguma coisa escape àquele que pensa. E, em toda palavra, àquele que fala. Essa impossibilidade de controle total, esse resquício de sentido que escapa infalivelmente à vontade consciente daquele que fala, pensa e age, essa verdade de nossos feitos e gestos ou de nossas frases, que difere daquela que acreditamos dar a eles, aí é que se situa o âmago daquilo que interessa a Freud.

No entanto, esse jogo duplo não se limita à cisão dos indivíduos nem ao conflito de nossos desejos microscópicos. Pouco a pouco, o olhar de Freud acaba abarcando a civilização e a história para nelas distinguir uma luta constante entre a vida e a morte.

Pulsão de vida, pulsão de morte

Uma nova etapa é de fato transposta por Freud a partir de 1920. Essa virada de perspectiva teórica o conduz além daquilo que ele chamou de "princípio do prazer". Esse princípio está ligado à repetição da satisfação: aquilo que proporciona um gozo exige repetição. Banalmente, busca-se a repetição do prazer – tanto os ratos de laboratório, que reiteram indefinidamente as experiências prazerosas, quanto os seres humanos. No entanto, ao contrário de todas as expectativas, acontece, nos humanos, de alguns preferirem o sofrimento.

Freud constata, a partir das dificuldades encontradas com alguns pacientes, que o princípio do prazer nem sempre tem a palavra final. Algumas pessoas parecem não querer se curar, parecem presas ao próprio sofrimento, incapazes de se livrarem de seus males. Essas observações conduzem Freud à ideia de uma pulsão de morte, que gostaria de recusar a vida e voltar ao estado anterior ao nascimento e à individuação.

Trata-se, em suma, de voltar ao nada, ao estado anterior à tensão representada pela vida. Voltar ao que havia antes da vida – apesar de não termos uma representação desse estado – seria o objetivo inconfesso. Freud esboçou, a partir dessa ideia, perspectivas que, ainda hoje, não são compartilhadas por todos os psicanalistas.

Ele insiste no fato de que a própria cultura constitui um campo de conflito entre forças de vida e de morte, entre *Eros*, que reúne, agrega, liga, cria laços entre os homens, solidariedade, associações, e *Thanatos* ("morte", em grego antigo), que dissolve, desfaz, dispersa, desagrega e destrói o laço humano. Essa concepção permite iluminar múltiplos aspectos dos fenômenos culturais e sociais contemporâneos. Ela parece confirmada por inúmeras observações, mas não deixa de ser especulativa, e bastante distante, por seu caráter global, das observações de detalhe que Freud predicava no início. Como o próprio reconheceu, ele voltou, "após uma longuíssima e difícil digressão", a seus "interesses primordiais" – poderíamos dizer, a suas primeiras paixões: as questões filosóficas.

A verdade dissociada do saber

Esse cerne especulativo da teoria freudiana é inegável, e os efeitos filosóficos da psicanálise são múltiplos. Uma série de linhas é deslocada: a fronteira entre "normal" e "patológico" não é mais a mesma, tampouco entre racional e irracional. Freud transformou esses pares de noções fundamentais da reflexão filosófica.

Sua principal intervenção, no fim das contas, não poupa nem mesmo o conceito de verdade. Os diversos aportes da psicanálise – inconsciente psíquico, conflito de registros, clivagem do sujeito – fazem com que o saber e a verdade não se situem mais no mesmo plano. Agora, eles não coincidem mais um com o outro. O que isso quer dizer, exatamente?

Em geral, quando sei alguma coisa também possuo a verdade desse saber. Posso estar na ilusão, pensar que o que sei é verdade e me enganar, mas nesse caso não terei um saber verdadeiro. De fato, saber e verdade parecem indissociáveis, como a frente e o verso de uma folha de papel. Em geral, eles nunca constituem registros defasados ou diferentes.

No entanto, se o que Freud diz for exato, existe uma defasagem entre o que um indivíduo *sabe* a respeito de sua conduta, de sua história, de sua infância, de seus projetos, e a *verdade* de sua história, de seu projeto. E essa defasagem também existe nos saberes coletivos, nas disciplinas do conhecimento. Assim, a geografia, a história ou a filosofia sabem um certo número de coisas. Mas talvez estejam – sem que o saibam, sem que o queiram – atravessadas por verdades que elas não podem ver.

Em outras palavras, com Freud o conhecimento deixa de ser transparente. Saber e verdade não são mais idênticos, ao contrário do que sempre foi postulado. Mais fortemente que Nietzsche ou Schopenhauer, Freud traz à luz um hiato, uma fissura entre o saber e a verdade. Há aquilo que sei, e há a verdade desse saber, que muitas vezes me escapa. Há o que sei a respeito do que sou, e verdades sobre o que sou que me são desconhecidas porque inconscientes. No sabido, há sempre o ignorado. No conhecido, o desconhecido. No que se pensa, o impensado. Nessa brecha, a verdade se separa do saber. Ora, isso nunca tinha acontecido antes, ao menos com tanta intensidade.

O gesto constante de Freud consiste em tentar reduzir essa distância, sabendo que ela não pode ser totalmente suprimida. Que o inconsciente se torne consciente, que o ignorado se torne conhecido, que a barbárie se civilize, que o ego surja ali onde havia o id... essas formulações convergem numa mesma tentativa, que por definição continuará para sempre inacabada. Esse processo está constantemente *"in the making"*, sendo feito. Nesse sentido, ele é interminável, o que não significa absolutamente que seja vão, desencorajante ou negligenciável.

Pois Freud – ao contrário do que às vezes se pensa, erradamente – não exalta o instinto. Ele nunca faz o elogio das forças obscuras. Em nenhum lugar deseja a libertação das representações arcaicas. É sem dúvida por isso que ele foi e continua sendo objeto de tanto ódio, assim como foi e continua sendo objeto de tanta esperança. Pois Freud indica uma via estreita para alcançar a autonomia e a liberdade. Ela avança entre as forças obscuras e a compreensão dessas forças, entre uma lucidez desenvolvida e um pessimismo derradeiro.

Dos desbravadores de novos territórios, Freud foi, entre os contemporâneos, um dos que melhor personificaram as diversas acepções da expressão "mestre do pensamento". Num sentido positivo, ele de fato forneceu os modelos teóricos que mais tarde serviram às múltiplas elaborações conceituais desenvolvidas sobretudo nas obras de Mélanie Klein, Donald Winnicott,

Wilfred Bion, Jacques Lacan, André Green – para citar apenas alguns nomes de um movimento fecundo.

Ao lado dessa rica posteridade, em que a psicanálise não cessou de evoluir e ser enriquecida por novos conceitos, não devemos esquecer os aspectos negativos. Um bom número de discípulos transformou Freud num mestre-guru infalível e onipotente, que deveria ser ouvido como um oráculo ou imitado nos mínimos defeitos. A ponto, às vezes, de acabarem por transformar a psicanálise, disciplina de liberdade, numa doutrina totalitária.

No entanto, derivações como essa revelam, acima de tudo, a estreiteza mental e a fraqueza daqueles que as seguem, deixando intacta a grandeza de Freud.

De Freud, o que ler primeiro?

O texto mais simples para começar é o de *Cinco lições sobre a psicanálise*, conferências proferidas por Freud na Clark University em 1909.

E depois?

Como as *Cinco lições* refletem apenas os primórdios da psicanálise, a leitura pode ser continuada pela *Introdução à psicanálise* e pelos textos de Freud sobre a religião e a cultura (*O futuro de uma ilusão*, *O mal-estar na cultura*).

Quase todos os textos de Freud são de leitura relativamente fácil. Depois que sua obra caiu em domínio público, em 2010, várias traduções recentes surgiram.

Deve-se evitar os volumes das *Œuvres complètes* pela PUF, sob a direção de Jean Laplanche, que inventam uma língua nova, obscura e pesada, bastante distante do elegante estilo alemão de Freud e da língua francesa.

Sobre Freud, o que ler para ir mais longe?

Existem inúmeras introduções à psicanálise e obras dedicadas a Freud. Nesse universo, bons pontos de partida podem ser:

SÉDAT, Jacques. *Compreender Freud*. Tradução de Nicolas Nyimi Campanário. São Paulo: Loyola, 2011.

ROBERT, Marthe. *A revolução psicanalítica*. Tradução de Attílio Cancian, J. Guinsburg e Ricardo W. Neves. São Paulo: Perspectiva, 1991.

ASSOUN, Paul-Laurent. *Freud, la philosophie et les philosophes*. Paris: PUF, 2009. (Coleção "Quadrige").

GREEN, André. *Illusions et désillusions du travail psychanalytique*. Paris: Odile Jacob, 2010.

Segunda parte

COM OU SEM A CIÊNCIA

Essa é a questão do século. A que divide radicalmente os filósofos, atravessa os pensamentos, opõe as escolas. Com configurações variadas, é claro, mas com uma insistência sempre constante. A relação entre filosofia e ciência nunca foi tão discutida, nem tão crucial, quanto no século XX. Ela pode ser encontrada sob mil formas. No entanto, esquematicamente, existem apenas duas opções.

De um lado, há a certeza de que somente o conhecimento científico fornece uma via de acesso aos resultados verídicos. Os métodos e os protocolos das ciências, portanto, suas armações lógicas, seus processos impessoais e objetivos é que fornecem os modelos de elaboração das verdades. A filosofia, assim, deve se fazer ciência ou auxiliar das ciências, ou então ser abandonada.

O "fazer-se ciência" pode ser compreendido de várias maneiras. Por um lado, a filosofia se baseia no conhecimento científico, limitando-se a comentar resultados e procedimentos, elucidando os conceitos, limpando os instrumentos, sem produzir nada específico. Ou então, pelo contrário, ela se torna uma ciência autônoma, elevando-se ao mesmo nível de objetividade e rigor das ciências duras. Seja qual for a modalidade escolhida, o conhecimento científico é considerado o único modelo de verdade.

Do outro lado, em contrapartida, há uma tentativa de emancipar-se da ciência, de contestar sua supremacia, e mesmo de derrubar suas pretensões. Caberia então à filosofia – dependendo dos casos – criticar a arrogância ou a cegueira da ciência, ancorar sua pesquisa em solos que não o rigor objetivo (na subjetividade, por exemplo, no instinto, na poesia), manter aberta a possibilidade de outros tipos de verdades que não as da ciência, em especial nos âmbitos da ética, do político, da estética.

Bertrand Russell personifica de maneira exemplar a primeira atitude. Para ele, de fato, a matemática detém o monopólio da verdade. A filosofia, sob essa ótica, só pode ser uma auxiliar. No máximo se pode relegar a ela os âmbitos considerados incertos, entregues à mudança das opiniões e dos sentimentos, como a ética ou o político.

Edmund Husserl, pelo contrário, representa o projeto de uma filosofia que se torna ciência, elevada ao estatuto de conhecimento rigoroso. Estudando a consciência, analisando suas modalidades e seus processos, fundando a "ciência do aparecer" chamada fenomenologia, Husserl pretende escrever uma obra científica dentro da própria filosofia, retomando o caminho original dos gregos.

Martin Heidegger personifica, por sua vez, outra concepção da verdade. Proclamando que "a ciência não pensa", ele denuncia o "enquadramento" do mundo pela técnica. Apesar de também preconizar um retorno aos gregos, ele não o faz para que a filosofia se torne científica, mas para voltar – aquém da metafísica, na qual discerne os primórdios da ciência e da técnica – à escuta do Ser.

O confronto entre essas diferentes perspectivas percorre o século inteiro. Os debates abundam, se ramificam e continuam até os dias de hoje. Em Russell, Husserl e Heidegger, encontramos seu ponto de partida, em estado nascente, com uma forma quase pura.

- **Nome: BERTRAND RUSSELL**
- **Ambiente e meio**

Grande aristocracia britânica, desde sempre ligada aos assuntos políticos. Nesse ambiente privilegiado, o jovem rapaz, que se torna órfão muito cedo, se refugia no amor pela matemática. Universidade e política se combinam ao longo de uma vida movimentada.

- **12 datas**

1872 Nasce em Trellech (País de Gales).
1890-94 Estudos no Trinity College (Cambridge), onde depois dará aulas.
1903 Publica *Principles of Mathematics*.
1910-12 *Principia Mathematica*, com A.N. Whitehead.
1918 Preso por pacifismo.
1931 Cargo na Câmara dos Lordes.
1938 Professor em Chicago e Los Angeles.
1940 Proibido de dar aulas em Nova York.
1950 Prêmio Nobel de Literatura.
1959 Publica *My Philosophical Development*.
1966 Funda o Tribunal Russell contra os crimes de guerra no Vietnã.
1970 Morre em 2 de fevereiro, no País de Gales.

- **Conceito de verdade**

A verdade, para Russell:
pode ser objeto de demonstração rigorosa no âmbito da lógica,
só é objeto de convicções em ética e em política,
deve contribuir o máximo possível para a paz.

- **Uma frase-chave**

"Minha preocupação constante foi descobrir a extensão e o grau de certeza que podemos conceder a nosso conhecimento."

- **Posição ocupada no pensamento contemporâneo**

Fundamental no campo da lógica e da reflexão sobre as ciências, a importância da obra de Russell, amplamente reconhecido no mundo anglófono, é muitas vezes negligenciada nos países de língua latina.

Capítulo 4

Onde Bertrand Russell, com um barbeiro de aldeia, deixa os matemáticos em pânico

"Três paixões simples, irresistivelmente enraizadas dentro de mim, governaram minha vida: a necessidade de amor, a sede de conhecimento e uma dolorosa comunhão com todos aqueles que sofrem. Três paixões que, como os grandes ventos, me levaram para cá e para lá numa corrida caprichosa sobre um profundo oceano de angústia que me fez tocar as margens do desespero." Assim falava Bertrand Russell no início de uma autobiografia em três volumes, publicada de 1967 a 1969. Na época, ele estava com 95 anos. Seguia com a mesma paixão.

Russell foi uma figura decisiva, e fascinante, do pensamento contemporâneo. Considerado no mundo anglófono um dos pensadores mais importantes da história, com frequência é bastante ignorado no mundo francófono e, de modo geral, nos países da Europa do Sul. No entanto, foi um dos grandes matemáticos do século XX e um filósofo de primeira ordem, que pode ser considerado o pai da filosofia analítica.

Personificação da razão, Russell também era um homem de paixões. Verdade, filosofia e justiça formaram a trama de sua vida. A paixão pela verdade começou precocemente: ele era animado por um verdadeiro amor pela matemática e pelas demonstrações matemáticas. Tendo se tornado órfão muito jovem – perdeu a mãe aos dois anos, o pai aos quatro –, o filho do visconde de Amberley, herdeiro da grande aristocracia inglesa, se refugiou na biblioteca familiar. Graças ao irmão, descobriu a geometria por meio de *Os elementos*, de Euclides, e ficou maravilhado com a beleza rigorosa da matemática. Falar em entusiasmo não é um exagero: o próprio Russell dizia que a matemática lhe proporcionava "a impressão de uma verdadeira felicidade, de uma exaltação". Ela lhe dava "a sensação de ser mais que um homem".

Sua paixão mais antiga, sem dúvida, era a certeza. Ele nunca cessou de se interrogar sobre o que podemos conhecer de maneira segura, inabalável, indestrutível. Sua primeira alegria, quando criança: descobrir que em matemática tudo era provado, que nada ficava na sombra ou na incerteza. Sua primeira revolta: descobrir que os axiomas eram impossíveis de provar. Para ele, essa era uma questão vital.

Salvo pela matemática

Ele confessou ter pensado muitas vezes, durante a juventude, no suicídio. Mas acrescentou: "Não me suicidei porque queria saber mais sobre a matemática". De fato, ele amava, na matemática, "o que não é humano": a sensação de descobrir certezas e verdades mais potentes, mais fortes, mais fundamentais do que as que normalmente podemos experimentar. No ponto de partida de seu itinerário encontramos, portanto, um apego singular: um laço profundamente afetivo com a razão, a dedução, a lógica e a abstração.

Não foi por acaso que Bertrand Russell se tornou, rapidamente, um dos maiores matemáticos da época contemporânea. Depois de estudos no Trinity College, onde se interessou sobretudo pela doutrina do filósofo idealista Bradley, ele descobriu a obra de Peano, que defendia a ideia de uma necessária "axiomatização" da matemática.

O que designa esse termo técnico? A fundamentação da matemática no menor número possível de axiomas, proposições que devem ser aceitas e consideradas evidentes apesar de não demonstráveis. Há nisso, porém, uma armadilha para a mente: como construir sobre o indemonstrável um edifício onde só pode ser verdade aquilo que foi demonstrado?

A axiomatização tenta reduzir – o máximo possível – o número de axiomas sobre os quais repousa o edifício inteiro da matemática. Esse programa de trabalho leva Russell a publicar, em 1903, seus *Principles of Mathematics*. Ele continua a se dedicar ao tema, ao lado de Whitehead, com quem redige três volumes que se tornaram a bíblia dos lógicos e dos matemáticos, os *Principia Mathematica*, de 1910 a 1913. Essa obra marca uma etapa central na reflexão sobre a constituição lógica da matemática.

Calcular a forma dos raciocínios

Ela também reformula, de maneira profunda, a própria lógica formal. Desde Aristóteles, a lógica estava centrada em mecanismos relativamente simples que permitiam distinguir as formas válidas de raciocínio das não válidas. A bem dizer, Aristóteles nunca tinha ido além da classificação das formas de raciocínio. A etapa ultrapassada por Russell e Whitehead, verdadeira fundação da lógica moderna, consiste em levar para o mundo da demonstração formal as relações entre as proposições, o que exige algumas explicações.

Uma proposição, aqui, designa uma frase reduzida à sua mais simples expressão: "Chove", ou então "Sócrates é mortal". Uma proposição "atômica" – que não pode ser dividida, cindida – constitui uma unidade elementar de discurso e de significação. Russell e Whitehead vão mostrar que é possível constituir um "cálculo das proposições" e elaborar uma álgebra de seus valores de verdade.

Chega-se, então, ao ideal de uma matematização do pensamento – velho sonho expresso em especial por Leibniz. Ao inventar uma "característica universal" – uma álgebra das ideias –, Leibniz esperava fazer com que a cada ideia correspondesse um símbolo. À pergunta "Deus existe?", portanto, responderíamos "*calculemos!*". E obteríamos a solução com tanta exatidão quanto para uma operação aritmética.

O programa de Russell e de Whitehead estava muito longe, sem dúvida, de realizar esse sonho. Mas permitiu um grande progresso na formalização dos raciocínios. Com o cálculo das proposições e, depois, dos predicados, tornou-se possível demonstrar que uma forma de raciocínio é válida e que outra não, exatamente da mesma maneira como se calcula o valor uma equação.

Por isso Russell é o verdadeiro fundador da filosofia analítica. Sob sua ótica, de fato, um bom número de questões filosóficas não decorrem de generalidades. Elas não são nem superficiais, nem eternos impasses. Em certos casos, como as questões matemáticas ou científicas, elas podem ser objeto de uma demonstração, de um teorema, de uma solução definitiva. Ou então de uma desqualificação, como as perguntas malfeitas, os erros de perspectiva ou de sintaxe. Existe, portanto, um impacto sobre a filosofia causado pela exigência lógica própria ao pensamento de Russell.

O paradoxo que mata

À primeira vista, temos uma história para crianças. Numa aldeia, alguns homens fazem a barba por conta própria, outros recorrem ao serviço de um barbeiro. Existem, portanto, dois grupos distintos: o dos homens que se barbeiam sozinhos e o dos homens barbeados pelo barbeiro. Mas a que grupo pertence o barbeiro? Ele se barbeia sozinho, portanto deve ser colocado no primeiro grupo. Mas é o barbeiro, portanto ao se barbear deve ser colocado no segundo grupo. Estamos diante de um impasse.

Essa história é a versão mais simples de um paradoxo descoberto por Russell em 1903. A teoria de grupos começava a se formar, na época, sobretudo sob o impulso dos trabalhos do matemático alemão Gottlob Frege, cuja contribuição à lógica foi igualmente notável. Mas Frege não havia previsto essa dificuldade. Russell escreveu uma carta para expor-lhe o paradoxo, que condenava todo o edifício que o matemático começava a construir.

Essa pequena história nos coloca diante de um paradoxo lógico tenaz. Uma versão um pouco mais elaborada permite compreendê-lo melhor. Entre os catálogos ou anuários, é possível distinguir os que mencionam a si mesmos e os que não o fazem. Por exemplo: um anuário indica o endereço da empresa que o confecciona, outro não. Se quisermos fazer um anuário dos anuários que não mencionam a si mesmos, devemos incluir nesse anuário o endereço da empresa que confecciona esse anuário?

O problema é insolúvel. De fato, se colocarmos o endereço no anuário, este pertencerá ao grupo dos anuários que mencionam a si mesmos, portanto ele não deveria constar da lista, pois se trata de fazer o anuário daqueles que *não* mencionam a si mesmos. Se, pelo contrário, não colocarmos seu endereço, então se tratará de um anuário que não menciona a si mesmo e que, portanto, deveria constar da lista.

A saída, do ponto de vista da teoria de grupos, foi decretar que um grupo não pode ser elemento de si mesmo. Mas a questão vai mais longe, é claro. Nesses anos de transição, em que se intensificavam as pesquisas em torno dos fundamentos da matemática e da lógica, percebeu-se que às vezes bastava muito pouco – um detalhe esquecido, um ponto negligenciado – para que um edifício inteiro que todos pensavam sólido desmoronasse.

Foi assim que o jovem Russell, em poucas linhas, destruiu o trabalho de Frege, antes de ser vítima por sua vez de um infortúnio parecido. Alguns anos mais tarde, de fato, um certo Ludwig Wittgenstein abalaria o edifício elaborado por Russell, de maneira tão súbita e radical quanto ele mesmo havia feito. Ao contrário do que poderíamos pensar, a lógica é uma disciplina de risco.

Entre crença e saber

Russell aproxima a filosofia à ciência em seus textos de juventude, mas a seguir tende a situar a filosofia sobretudo entre a teologia e a ciência. Ele considera a teologia uma especulação sobre questões que nunca podem ser verdadeiramente demonstradas. A ciência, pelo contrário, estabelece conhecimentos exatos e certos a respeito de temas claramente delimitados. A filosofia constitui para Russell uma espécie de *no man's land* entre as duas: ela participa da ciência por seu rigor, por sua vontade de demonstração e de certeza racional, mas trata de objetos particularmente difíceis de definir ou de existência duvidosa, como a teologia.

Essa posição intermediária cria na filosofia um lugar decisivo para o sentimento, para a empatia, para os afetos que não têm lugar nas ciências. Russell não foi apenas um influente matemático, uma grande mente científica e um lógico de primeira grandeza. Ele também foi um moralista, um filósofo da ética e um político original.

Boa parte de sua vida foi marcada pelas consequências de suas tomadas de posição. Durante a Primeira Guerra Mundial, ele foi preso e condenado por pacifismo e oposição à guerra. Durante os seis meses de encarceramento, escreveu um tratado de filosofia das ciências... Foi o início de uma vida pública movimentada, em que os rebuliços causados por sua franqueza interferiram o tempo todo em sua carreira científica. Russell se opunha às convenções da burguesia, preconizando a liberdade sexual, em especial para os adolescentes, e lutava pela tolerância em relação às diferentes manifestações da sexualidade.

De sua parte, teve quatro esposas sucessivas e sua vida sentimental e política foi motivo de mexericos, a ponto de se tornar objeto de escândalo. Em 1940, professor nos Estados Unidos, foi destituído do cargo em razão de tomadas de posição públicas em favor do aborto e da liberdade sexual de menores.

Ele tinha um gosto pela provocação, mesclado a uma vontade de nunca ceder em questões que lhe pareciam justas. Em 1910, no livro *The Elements of Ethics*, denunciou o jugo dos preconceitos e a estreiteza dos julgamentos de seus contemporâneos, fustigou o peso dos tabus religiosos, opondo-lhes uma busca obstinada do amor, da felicidade e das liberdades.

Por razões como essas é que Russell foi um pacifista resoluto – exceto durante a Segunda Guerra Mundial, em que tomou consciência de que era melhor se opor aos nazistas do que à guerra. Desde 1920 também vinha criticando o totalitarismo comunista, publicando *The Practice and Theory of Bolshevism* ao voltar de uma viagem à URSS, onde tinha se encontrado com Lênin.

Mais tarde, depois de receber em 1950 o Prêmio Nobel de Literatura pelo conjunto de sua obra, ele assinou, ao lado de Einstein, um manifesto contra o uso de armas nucleares. A seguir, fundou, logo seguido por Jean-Paul Sartre, o *Tribunal Russell* contra os crimes de guerra americanos no Vietnã. Uma verdadeira atividade de militante – a favor da liberdade de pensamento, da liberdade de viver e dos direitos do homem – anima toda a sua vida.

Matemático e apaixonado, entusiasta da verdade e da justiça social, Russell foi profundamente marcado pelo racionalismo. Ele se recusava a compartilhar da crença no cristianismo. Em 1957, publicou *Por que não sou cristão* – o que não melhorou suas relações com uma grande parte da opinião pública britânica e americana.

O que o caracteriza, enfim, é a personificação do desejo pela verdade sob todas as formas – teóricas e práticas, das mais complexas às mais simples. Sua questão central: os seres humanos podem conhecer alguma coisa com certeza? A matemática preenche uma parte desse programa. No âmbito da ética, porém, em definitivo só existem sentimentos e crenças. Essas crenças precisam ser o menos prejudiciais e o menos improváveis possíveis. É por isso que, para Russell, elas devem estar fundadas nos melhores sentimentos, naqueles que podemos sentir pelos outros seres humanos por empatia – única garantia de diminuirmos a quantidade de injustiça e de sofrimento que existe no mundo.

Nas aventuras da verdade durante o século XX, a vida longa e as múltiplas obras de Bertrand Russell ocuparam um lugar importante. A grande clivagem que elas operaram pode ser formulada de maneira simples: de um lado, as verdades demonstráveis e experimentáveis da ciência, do outro, as escolhas afetivas da moral e da política, que apenas podemos esperar sejam o menos prejudiciais possíveis. O que exige coragem e luta.

De Russell, o que ler primeiro?

My Philosophical Development. Londres: Allen & Unwin, 1959.

E depois?

Introdução à filosofia da matemática. Tradução de Maria Luíza X. de A. Borges. Rio de Janeiro: Zahar, 2007.

Ensaios céticos. Tradução de Marisa Motta. Porto Alegre: L&PM, 2008.

Sobre Russell, o que ler para ir mais longe?

BENMAKHLOUF, Ali. *Russell*. Paris: Les Belles Lettres, 2004.

VERNANT, Denis. *La Philosophie mathématique de Russell*. Paris: Vrin, 2000.

☞ Com Bertrand Russell, a lógica fornece modelos para pensar a verdade de maneira puramente formal, independentemente de considerações subjetivas.

☞ Com Edmund Husserl, lógica e matemática também ocupam posição de destaque, mas para transformar a própria filosofia em conhecimento rigoroso da subjetividade, por meio de uma abordagem metódica dos fatos da consciência.

- **Nome: EDMUND HUSSERL**
- **Ambiente e meio**

A universidade alemã do fim do século XIX e das primeiras décadas do século XX (Halle, Göttingen, Freiburg), entre ciências exatas e filosofia.

- **11 datas**

1859 Nasce em Proßnitz, na Morávia.
1887 Tese de matemática sobre o conceito de número, após estudos de matemática e filosofia.
1991 Publica *Filosofia da aritmética*.
1900-1901 Publica *Pesquisas lógicas*.
1913 *Ideias diretrizes para uma Fenomenologia*.
1916 Professor na Universidade de Freiburg.
1927 Heidegger o sucede em Freiburg.
1929 Conferências em Paris e Estrasburgo (*Meditações cartesianas*).
1933 É proibido de entrar na biblioteca de Freiburg devido à aplicação das medidas antissemitas do regime hitlerista.
1935 Conferências em Viena e Praga (*A crise das ciências europeias e a fenomenologia transcendental*).
1938 Morre em Freiburg, depois de pedir para ser incinerado para evitar que seu túmulo fosse profanado pelos nazistas.

- **Conceito de verdade**

A verdade, para Husserl: repousa em idealidades independentes, segundo um modelo próximo ao de Platão, é acessível a nosso conhecimento racional, pode permitir a transformação da filosofia em "ciência rigorosa".

- **Uma frase-chave**

"Toda consciência é consciência de alguma coisa."

- **Posição ocupada no pensamento contemporâneo**

Decisiva, na medida em que a abordagem que ele inaugura, criando a fenomenologia, marcará o século XX de diversas formas. A influência de Husserl se prolonga até os dias de hoje, com a exploração metódica de uma quantidade considerável de textos póstumos.

Capítulo 5

ONDE EDMUND HUSSERL SEGURA A CIÊNCIA NA BEIRA DO ABISMO

Fazer da filosofia uma "ciência rigorosa", esse é o projeto de Husserl, cujas repercussões marcarão todo o pensamento do século. Como Russell, Husserl começou fazendo estudos de matemática. Seu projeto teórico se queria científico acima de tudo, sustentado por um método totalmente fundado na racionalidade. Por meio da análise racional das questões e dos problemas, ele queria alcançar certezas verdadeiras – idênticas, no campo da filosofia, às da ciência.

Seus primeiros trabalhos abordaram questões puramente matemáticas, ligadas sobretudo ao trabalho do matemático Gottlob Frege. Ao mesmo tempo, Husserl começou estudos de filosofia. Pouco a pouco, foi se deparando com as questões fundadoras da metafísica. Em certo sentido, Husserl retomou o projeto dos gregos, particularmente o de Platão: contemplar essências eternas, ideias-formas que existem por si mesmas, independentemente de nossas capacidades mentais ou das estruturas de nosso cérebro. Nesse caminho, Husserl passou por análises dedicadas à lógica. Seguindo o movimento da época, trabalhou, assim como Russell, sobre aquilo que confere rigor primordial à matemática: as próprias regras do pensamento.

Husserl se dedicou a escrever uma obra em vários volumes intitulada *Pesquisas lógicas*. Essa expressão não remete apenas à lógica formal, ao cálculo das proposições de Russell e Whitehead na mesma época nos *Principia Mathematica*. As *Pesquisas lógicas* de Husserl não abordam essencialmente a matematização das demonstrações ou os aspectos puramente formais das deduções. É preciso ler no termo "lógica" o antigo termo grego *logos* – tanto "palavra" quanto "razão".

Constatação de partida: nossos raciocínios formam frases. Eles não podem ser concebidos sem elas, nem sem sua forma própria de organização. Husserl examinou, portanto, sob quais condições nossas frases podem se orientar para um horizonte de verdade. Em primeiro lugar, é preciso que essas frases constituam "expressões bem formadas" – que elas se conformem às regras da sintaxe da língua em que são enunciadas. A frase "verde é onde porque", por exemplo, não foi bem formada: adjetivo, verbo, advérbio e conjunção se justapõem sem produzir sentido ou frase real. Estamos diante de uma série de termos enfileirados – nada mais.

Uma frase bem formada é apenas a primeira condição. Se perguntarmos "O capitalismo é laranja?", ou "A sociedade industrial é doce?", as frases estarão bem formadas, pois obedecem às exigências da sintaxe. Mas elas não terão sentido real: essas perguntas, gramaticalmente corretas, não correspondem a nada.

Edmund Husserl

Recomeçar a filosofia

O pensamento de Husserl segue a princípio por esse caminho, mas vai muito além. O filósofo inaugura uma mudança radical na orientação do pensamento. Seu projeto consiste em reconstruir a filosofia, dando-lhe novas bases. Sua abordagem, sob esse ponto de vista, lembra a de Descartes. Não é por acaso que um de seus livros fundamentais se intitula *Meditações cartesianas* (1929) – em homenagem às *Meditações metafísicas* de Descartes.

Assim como Descartes quis partir do zero e refundar a filosofia, Husserl quis reconduzir a reflexão a seu projeto fundador: aceder, somente por meio da razão, a certezas de tipo científico, a conhecimentos verdadeiramente certos. É preciso, para ele, "voltar às coisas mesmas", que não são os objetos materiais que encontramos no cotidiano. "As coisas mesmas" são as ideias, as essências, as formas ideais que nossa razão nos permite conhecer. Fundamentalmente, o projeto de Husserl é platônico: sua inspiração o leva a alcançar – ou no mínimo buscar – verdades eternas.

A força de Husserl é mostrar que essas ideias – por mais abstratas e teóricas que sejam – estão enraizadas nas experiências concretas do vivido. Essa raríssima articulação entre abstração pura e experiência elementar está no centro da nova disciplina que Husserl chama de "fenomenologia". Ela constitui, ao longo de todo o século XX, uma das grandes escolas da filosofia contemporânea. Vasto continente em si mesma, ela atesta a influência colossal de Husserl, que a seguir entrou em relativo esquecimento.

Fenomenologia: o termo é "bárbaro" – deselegante e pesado –, apesar de ser forjado a partir de raízes gregas. Mas ele não contém nada difícil de compreender. Um fenômeno é aquilo que *aparece* à nossa consciência. *Phaïnomaï*, em grego antigo, é um verbo que significa "cintilar" – como os raios do sol sobre as ondas do mar –, "brilhar" e também "aparecer". Para a tradição filosófica grega, o fenômeno é aquilo que nos aparece do mundo, aquilo que nos é dado ver.

Sempre podemos nos interrogar sobre o que constitui a realidade derradeira, se o que percebemos corresponde ou não à realidade do mundo, mas não podemos duvidar que esses fenômenos de fato existam. O trabalho filosófico e conceitual de Husserl está ancorado nessa doação do mundo. As modalidades de aparição das coisas à nossa consciência se tornam seu campo de experiência teórica.

Como essas coisas aparecem a mim? De que maneira minha consciência se volta para os objetos? Como sei que há diante de mim uma árvore, um copo d'água ou um amigo me dirigindo a palavra? Quais são os processos em ação naquilo que vivo, sinto e penso? Como conceitualizá-los? Essas são as perguntas de Husserl.

Ele quer elaborar uma análise puramente metódica, conceitual e teórica daquilo que sentimos. Sua busca não se refere àquilo que acontece no nervo ótico ou nos neurônios daquele que vê um copo d'água diante de si. No entanto, ela não é uma simples evocação poética ou verbal da visão. Seu objetivo é analisar, de maneira verdadeiramente rigorosa mas tão somente filosófica, aquilo que está em jogo dentro dessa aparência, tudo o que é dado e que se transforma: um copo d'água em cima da mesa à minha frente.

Por que essa abordagem é singular? Antes de Husserl, e depois dele, as buscas se dividem em dois caminhos. Encontramos, de um lado, as "filosofias do conceito", segundo uma expressão consagrada. Centradas na ciência, na lógica, nas teorias matemáticas, elas se desinteressam pelo vivido individual. Em vez da subjetividade e do vivido, elas preferem as questões de conhecimento e teoria. Do lado oposto, as chamadas "filosofias da consciência" atribuem um lugar fundamental à existência do sujeito e aos processos pelos quais nos tornamos um sujeito. O divórcio é profundo, ao longo de todo o século XX, entre essas duas vertentes da filosofia.

O caráter único de Husserl deve-se ao fato de que ele consegue manter unidas as duas vertentes. Ele quer fundar uma ciência dos conceitos capaz de explicar os processos em ação na consciência. Assim, está na interseção dessas duas abordagens opostas da filosofia moderna, que, fora de sua obra, continuarão se ignorando ou se enfrentando.

Que consciência?

Principal interesse da fenomenologia: a nova compreensão da consciência que ela inaugura. Em vez de concebê-la como uma qualidade de certos atos psíquicos, ou como uma capacidade de antecipação, Husserl põe em evidência sua atividade. A consciência sozinha, vazia, ou "pura", desprovida de todo objeto, de toda sensação ou de todo pensamento, é inacessível. Ela só se apresenta sob a forma de uma consciência de fome, de sede, de dor ou de bem-estar, de luz ou de penumbra, de frio ou de calor...

"Toda consciência", escreve Husserl, "é *consciência de...*" Essa célebre constatação faz Husserl descobrir o que ele chama de *intencionalidade* – um dos conceitos fundamentais da fenomenologia. A intencionalidade é o movimento da consciência quando ela "visa" um objeto. Ao olhar para o copo d'água que tenho diante de mim, não recebo em minha consciência uma "impressão de copo d'água" – como uma tela que recebe uma imagem, como um receptáculo que recebe um conteúdo. Minha consciência não é nem uma caixa nem um vaso onde os dados vindos de fora são derramados. Ela não é passiva.

Pelo contrário, enfatiza Husserl. Eu me dirijo, por meio da consciência, ao copo ou à árvore que contemplo. Um gesto perceptivo, por assim dizer, toca esse objeto que viso, para o qual se dirige de maneira intencional minha consciência. Essa intencionalidade não se confunde com um projeto: não digo a mim mesmo de antemão que vou olhar para esse copo d'água, mas, ao vê-lo, eu o "construo", por assim dizer, tanto quanto o encontro. Pois a percepção nunca é inteira, completa, imediata.

Ela é elaborada por meio de "esboços" (*Abschattungen*, em alemão): se eu mexer um pouco a cabeça, verei o copo d'água sob um ângulo diferente, se eu o fixar de cima verei apenas um círculo, se olhar para ele de lado observarei outra forma ainda. Nessas variações, tenho sobre o objeto uma série de pontos de vista. Pois minha consciência sempre está situada: não vejo nada "de todos os lados ao mesmo tempo". A cada olhar aparece uma "silhueta" de copo d'água distinta, um novo esboço, ligado à posição em que me encontro.

Para reconstituir esse copo "em sua integralidade", minha consciência elabora aquilo que vê, constrói em cima do que é percebido. Do mesmo modo, quando reconheço uma pessoa de costas ou de perfil, não preciso vê-la por inteiro. A partir de uma visão parcial, minha consciência reconstitui a totalidade.

Para levar a cabo o projeto de transformação de nossa vivência espontânea do mundo em campo de estudo racional, Husserl retoma e transforma um conceito dos céticos gregos, a *épochè*. Eles assim chamavam a suspensão do juízo. Como não posso saber com certeza se o que sinto é verdadeiro ou falso, coloco minha afirmação entre parênteses. Husserl adapta essa noção para utilizá-la como uma ferramenta metodológica em sua investigação fenomenológica.

E esta exige que seja suspensa nossa "atitude natural" em relação ao mundo: colocaremos entre parênteses aquilo que costumamos pensar e crer espontaneamente, por cuidado metodológico. Assim, se eu quiser estudar rigorosamente em que consiste minha consciência percebendo um copo d'água, preciso afastar tudo o que é tendência habitual e atitude normal, para deixar apenas o fenômeno permanecer.

Razão ou barbárie

Apesar de análises austeras e de um estilo árido, a fenomenologia encontrará, junto aos filósofos, uma audiência considerável e uma posteridade multiforme. Esse sucesso se deve à mescla particular entre pontos de partida concretos, ancorados nas coisas e nos fatos vividos, nas atitudes mais comuns, e, por outro lado, a vontade de exame rigoroso, racional e conceitual. Sartre, ao ler Husserl, descobre com maravilhamento que se pode falar de um copo d'água ou de uma xícara de café fazendo filosofia de maneira rigorosa. Sartre figura entre os primeiros adeptos da fenomenologia e importa a ideia de intencionalidade para o pensamento francês anterior à Segunda Guerra Mundial.

Não devemos esquecer que o trabalho de Husserl tornou possíveis várias das grandes obras filosóficas do século XX. Não poderíamos imaginar o existencialismo de Sartre sem o aporte da fenomenologia, mas é preciso dizer o mesmo da filosofia de Emmanuel Levinas ou da de Maurice Merleau-Ponty. Mais recentemente, Jacques Derrida foi um tributário direto do pensamento husserliano. Não podemos esquecer do principal aluno de Husserl, o parricida de seus filhos espirituais: Martin Heidegger.

Depois de ser assistente de Husserl, Heidegger o sucedeu na cátedra de filosofia da universidade de Freiburg. Em certo sentido, ele depende da herança da fenomenologia. Mas ele a transforma tão radicalmente que se torna seu destruidor. A linha divisória entre Husserl e Heidegger concerne a relação com a ciência e com a racionalidade. Para Husserl, trata-se de fazer a razão triunfar. Para Heidegger, trata-se de criticá-la, de esforçar-se para ir além do pensamento metafísico, personificado de forma exemplar por nomes como Platão, Aristóteles e Descartes.

Entre eles, a linha divisória também é política: Heidegger se alia ao nazismo, enquanto Husserl – de origem judaica por parte de pai e mãe, apesar de convertido ao protestantismo na juventude –, pelo contrário, tenta impedir o pensamento filosófico de cair no totalitarismo.

Na beira do abismo

Sob esse ponto de vista, o texto mais pungente de Husserl, seu livro testamental, é a obra familiarmente chamada por seus leitores de *Krisis – A crise das ciências europeias e a fenomenologia transcendental*. Trata-se de uma conferência proferida por Husserl em 1935 e, a seguir, bastante enriquecida e transformada em livro.

Nele, Husserl lança um grito de alarme contra a ascensão do irracionalismo na Europa, mas também, e principalmente, contra a perda do sentido original do projeto filosófico. As ciências se emanciparam do movimento de pensamento que as originou na Grécia. Assim, esqueceram o projeto que as fez surgir. Para remediar isso, Husserl preconiza um retorno ao espírito dos gregos. A seus olhos, é preciso restaurar a razão europeia, elemento fundador de uma "humanidade racional", definida com e pela filosofia, e não apenas a partir de costumes ou de "traços antropológicos".

Husserl defende a verdade racional, o horizonte infinito de uma busca científica constante. Ele encerra essa conferência num tom trágico, com um parágrafo que merece ser citado na íntegra: "A crise da existência europeia tem apenas duas saídas: o declínio da Europa que se afasta de seu próprio senso racional da vida, a queda no ódio espiritual e na barbárie, ou então o renascimento da Europa a partir do espírito da filosofia, graças a um heroísmo da razão que supere definitivamente o naturalismo. O maior perigo para a Europa é a lassidão. Combatamos enquanto 'bons europeus' esse perigo dos perigos, com a valentia que não se assusta diante do combate infinito, e assim veremos surgir do braseiro niilista, do fogo do desespero que duvida da vocação do Ocidente para com a humanidade, das cinzas da grande lassidão, a fênix ressuscitada de uma nova vida interior e de um novo sopro espiritual, garantia de um grande e longo futuro para a humanidade; pois só o espírito é imortal".

Husserl expôs essas ideias em Viena, em maio de 1935. O nazismo já estava no poder e as perseguições se intensificavam. Pouco depois, vieram as leis antissemitas de Nuremberg, a invasão da Áustria, a Guerra Mundial e o Holocausto. Husserl, que morreu em 1938, viu apenas os primeiros passos dessa barbárie, que ele anunciou e esperava ver afastada. Mas foi o suficiente para dilacerar sua vida.

Pois seria um erro considerar seu espírito cristalino como o de um professor que escapasse serenamente à história, um homem a quem nada acontecesse fora do âmbito das aventuras conceituais e dos périplos teóricos. Por mais discreto que Husserl fosse, houve algo do herói trágico em seu personagem. O fim de sua vida foi especialmente dramático: com as leis raciais de Nuremberg (1936), ele foi proibido de dar aulas pelos nazistas devido à sua ascendência judaica. Ele se viu abandonado por Heidegger, seu discípulo e sucessor, que não fez nada para defendê-lo ou reabilitá-lo. Husserl morreu em 1938. Em meio ao silêncio e à solidão.

De Husserl, o que ler primeiro?

A crise das ciências europeias e a fenomenologia transcendental. Tradução de Diogo Falcão Ferrer. Rio de Janeiro: Forense Universitária, 2012.

E depois?

Meditações cartesianas e conferências de Paris. Tradução de Pedro M. S. Alves. Rio de Janeiro: Forense Universitária, 2013.

Ideen zu einer reinen Phänomenologie und phänomenologischen Philosophie, I. [*Ideias diretrizes para uma fenomenologia*]

Sobre Husserl, o que ler para ir mais longe?

LEVINAS, Emmanuel. *En découvrant l'existence avec Husserl et Heidegger.* Paris: Vrin, 2012.

HOUSSET, Emmanuel. *Husserl et l'énigme du monde.* Paris: Seuil, 2000. (Coleção "Points".)

☞ Com Husserl, a verdade só depende da razão, e a Europa deve retomar e reconstruir o projeto dos gregos: fundar uma humanidade filosófica.

☞ Com Heidegger, ao contrário, a verdade é mascarada e desviada pela racionalidade, e a Europa deve destruir a metafísica, que tem por filhas a ciência e a técnica, para reencontrar o projeto dos gregos: fazer com que o homem habite poeticamente.

- **Nome: MARTIN HEIDEGGER**
- **Ambiente e meio**

A província católica da Alemanha Suábia, a universidade sob o regime nazista, a Floresta Negra e os poetas.

- **12 datas**

1889 Nasce em Messkirch, em Baden-Württemberg.
1909 Inscreve-se na faculdade de Teologia de Freiburg.
1911 Decide se dedicar à filosofia.
1919 Assistente de Husserl na Universidade de Freiburg.
1927 Publica *Ser e Tempo*, ruptura com Husserl.
1928 Sucede a Husserl na Universidade de Freiburg.
1933 Eleito reitor, apoia o regime nazista.
1945 Proibido de dar aulas pelas autoridades aliadas.
1947 *Carta sobre o humanismo*, endereçada a Jean Beaufret.
1951 Suspensão da proibição de dar aulas.
1952-1969 Inúmeras publicações.
1976 Morre em Messkirch, em 26 de maio.

- **Conceito de verdade**

A verdade, para Heidegger:
deve se definir como "desvelamento",
revela a presença do Ser,
encontra-se nos poetas, mais do que nos cientistas.

- **Uma frase-chave**

"A ciência não pensa."

- **Posição ocupada no pensamento contemporâneo**

Controversa. Para alguns, é o maior dos pensadores, que anuncia e inaugura uma verdadeira revolução mental. Para outros, é considerado um ensaísta confuso e pesado, erroneamente venerado e politicamente perigoso.

Capítulo 6

Onde Martin Heidegger acha que Hitler tem belas mãos

O nome de Heidegger marca uma tentativa de ruptura na filosofia. Racionalidade, ciência e demonstrabilidade faziam, desde os gregos, parte da filosofia. Esses laços foram reafirmados e estreitados por Husserl, bem como por todo o movimento das ideias do início do século XX. Heidegger fez o inverso. Ele tentou separar ciência e filosofia, rejeitou o primado da lógica, ressuscitou o pensamento das correntes gnósticas há muito tempo adormecidas apesar das tentativas dos românticos de despertá-las.

Martin Heidegger foi criado no campo, no fim do século XIX, numa aldeia católica e rural da Alemanha do sul. Seu pai era tanoeiro, sacristão na paróquia, sua mãe cuidava da casa. Até o fim da vida, ele se manteve um homem da terra, preso ao solo, reticente à vida urbana. Recusou obstinadamente tudo que era "cosmopolita" e "desenraizado". As lógicas do capitalismo lhe eram estranhas, o domínio técnico da terra lhe parecia assustador. A instrumentalização da natureza equivalia, a seus olhos, a uma devastação criminosa. Nesse aspecto, ele prenunciou os traços de algumas correntes ecológicas atuais.

O jovem Heidegger tinha talentos extraordinários. Amparado pela igreja, recebeu uma rigorosa formação clássica, entrou para o seminário e iniciou estudos de teologia. Aos vinte anos, abandonou-os. Escolheu a filosofia ao fim de uma crise pessoal da qual pouco se sabe, exceto que marcou sua ruptura pública com o catolicismo. Na universidade alemã, sua carreira começou sem nada de notável. Em 1927, porém, aos 38 anos, Martin Heidegger publicou uma obra que rapidamente lhe garantiu um renome estrondoso e que o tornou conhecido para muito além das fronteiras alemãs. Título abrupto: *Sein und Zeit, Ser e Tempo*. Sua escrita era estranha, texto difícil mesmo para os leitores de língua alemã. No entanto, o impacto foi imediato.

A questão do ser

O livro surpreende porque trouxe à luz uma questão muito antiga que parecia esquecida há muito tempo: "o sentido do ser". Essa questão havia sido proposta pelos primeiros pensadores gregos. Está ligada à presença, ao "estar presente", ao fato de que há "alguma coisa, em vez de nada", e não à natureza das diversas coisas existentes. Para Heidegger, essa questão primordial teria sido negligenciada pela metafísica, desde Platão e Aristóteles, em proveito de uma interrogação sobre as propriedades do que existe (os "entes"). Esse esquecimento do ser teria aberto a possibilidade para a ciência e para a manipulação técnica, que são filhas dessa metafísica esquecida do ser.

Essa mudança de perspectiva modifica, pouco a pouco, uma série de questões-chave. Os conceitos filosóficos de tempo, sujeito, natureza humana e história são colocados em causa. Heidegger se dedica a reformulá-los. Alguns de seus contemporâneos têm a impressão de que ele dá início a uma mutação do pensamento, e seu tom marcadamente profético e encantatório a reforça. Na Universidade de Freiburg, as aulas de Heidegger adquirem uma audiência crescente. Seus alunos – Karl Löwith, Hannah Arendt, Emmanuel Levinas, Hans Jonas, entre outros – têm a sensação de estar participando de uma aventura extraordinária. O professor, de semestre em semestre, transforma "a história do ser" em pivô subterrâneo de toda a história. O curso do mundo não dependeria mais dos enfrentamentos militares, das manobras políticas, das rivalidades econômicas ou das invenções científicas. De maneira mais secreta e mais decisiva, a maneira pela qual o ser é pensado é que inflectiria e transformaria o destino da humanidade.

Heidegger, portanto, reencena toda a história do pensamento. Essa é uma das razões para sua grande audiência. Ele não aborda a filosofia como uma série de textos fechados, pertencentes ao passado; ele os reativa de maneira dramática. Essa característica sem dúvida pode ser encontrada, em certo sentido, em todos os filósofos. O que distingue Heidegger, e passa a impressão de ruptura, é que ele afirma voltar até o âmago dos mais antigos dispositivos do pensamento ocidental. A começar pela questão do ser: ele quer chegar a seu sentido originário, descrever o apagamento que ela sofreu, enfatizar a força que ela conserva até o presente. Assim, ele elabora uma história fundamental e subterrânea, de longa duração e grande implicação, onde é decidido secretamente o destino de todo o resto.

A verdade como desvelamento

Isso fica particularmente nítido num seminário sobre a essência da verdade, que ocorre de outubro de 1931 a fevereiro de 1932. Esse curso, dedicado principalmente a Platão, marca uma etapa importante no esclarecimento de sua concepção da verdade. Em 1926, já trabalhando sobre textos platônicos, Heidegger tinha da filosofia grega uma visão "ascendente": o pensamento do ser se desdobrava de maneira progressiva – desde os pré-socráticos até Aristóteles. Platão representava, então, um momento de radicalização essencial do que estava em marcha desde os primórdios, em particular com sua concepção do Bem em *A República*.

Em 1931-1932, a paisagem é bastante diferente. Acompanha-se a formação de um esquema destinado a uma longa posteridade: com Platão, afirma Heidegger, a concepção lógica e demonstrativa da verdade começa a substituir aquela, originária e primordial, que prevalecia anteriormente. O pensamento grego, com Platão, abandona sua harmonia original com o ser para entrar no âmbito da metafísica, marcada pelo "esquecimento do ser". O curso de Heidegger se dedica a mostrar de que maneira começa a surgir em Platão a concepção de verdade como "correspondência da coisa e do espírito", que triunfa mais tarde, após Aristóteles e seus comentaristas, em toda a metafísica e, portanto, segundo Heidegger, em toda a ciência e técnica ocidentais, que participam do mesmo movimento.

Essa concepção da verdade coloca de lado aquilo que a língua grega diz "originariamente", segundo Heidegger, ao falar em *alètheia*. A particularidade desse termo grego é o fato de ser construído de maneira negativa: o que traduzimos por "verdade" quer dizer mais ou menos "sem esquecimento". Para traduzir o grego *alètheia*, Heidegger utiliza, em alemão, o termo *Unverborgenheit* – que foi traduzido como "desvelamento", "revelação", "não ocultamento", "aberto sem refúgio"...

Apesar de sua aparente novidade, esse tema é em grande parte tributário do mito das origens, herdado do romantismo alemão. Julga-se necessário voltar aos "significados originais" porque eles são considerados detentores de um sentido perdido, que seria o único capaz de nos fazer escapar ao mundo desencaminhado em que vivemos. "Naquilo que é essencial, o começo é inacessível, maior", enfatiza Heidegger, "e é porque não compreendemos mais nada que, em nós, tudo é tão totalmente degradado, ridículo, desregulado e cheio de ignorância."

Encontrar esse âmago primordial não equivale, absolutamente, a fugir do presente. Não se trata de refugiar-se no estudo estéril de um passado para sempre perdido. Trata-se, pelo contrário, de encontrar, no "passo para trás" rumo às origens ocultas, o meio radical que permite superar os impasses de nosso tempo. O romantismo alemão, com Friedrich Schlegel em particular, dizia o mesmo: é voltando à grandeza perfeita da aurora primordial que poderemos escapar a essa modernidade, degradada e degradante, em que vagamos.

Num contexto histórico diferente, e com um vocabulário diferente, Heidegger reativa inúmeras características desse mito romântico. A superestimação das origens, e singularmente das significações originárias da língua, é acompanhada por uma superestimação do papel histórico da filosofia e da poesia: "O essencial da descoberta do efetivo não ocorreu e não ocorre nas ciências, mas na filosofia originária, na grande poesia e em seus projetos (Homero, Virgílio, Dante, Shakespeare, Goethe)". Ao mesmo tempo, os conhecimentos científicos são explicitamente desvalorizados: "As ciências só adquirem fundamento, dignidade e direito com a filosofia". A história inteira é concebida como um declínio, uma queda, uma lenta degradação da perfeição original: "O que já está em marcha desde Platão, o esgotamento da experiência fundamental [...] e a perda de força da palavra *alètheia* em seu significado fundamental, nada mais é que o começo dessa história ao longo da qual o homem ocidental, enquanto ente, perdeu seu chão para acabar, hoje, privado de chão".

Heidegger quer colocar a ênfase, portanto, naquilo que os filósofos não pensaram, no ponto cego de suas elaborações conceituais. Ele quer substituir o reinado da racionalidade pela palavra dos poetas. Deve-se apreender um "outro pensamento" que, até o momento, permanecia "refugiado". Nessa origem escondida sob nossos passos haveria, reservada, uma promessa de futuro. Caberia a nós tentar voltar a ela.

O lado sombrio

Essa relação com o ser – impregnada de fervor, de respeito e gratidão, de serenidade – por muito tempo foi considerada o principal signo distintivo de Heidegger. Ao menos no que geralmente se ensinava sobre ele, dos anos 1960 aos anos 1980. Nesse período, nunca foram evocados seu engajamento nas instituições nazistas, sua admiração por Hitler, seus julgamentos antissemitas, seu ensurdecedor silêncio sobre o Holocausto. Heidegger não tinha um lado sombrio. Hoje, isso mudou.

A antiga "versão oficial" de seu envolvimento com o nazismo não é mais defensável. Ela afirmava que Heidegger havia se enganado sobre a natureza do regime hitleriano apenas por alguns meses. Pressionado pelos colegas, teria aceitado o cargo de reitor da Universidade de Freiburg em 21 de abril de 1933, antes de pedir demissão em 23 de abril de 1934. Esses doze meses de desvio deveriam ser contrabalançados pelas desgraças, e até perseguições, que o regime hitlerista a seguir lhe teria infligido nos dez anos seguintes.

Essa era a apresentação dos fatos pelos discípulos mais próximos, nos anos 1970. Hoje, essa imagem piedosa faz rir. Várias obras revelaram uma realidade completamente diferente. Algumas datas e citações permitem apresentá-la.

Em 1910, o primeiro texto publicado de Heidegger aparece no *Allgemeine Rundschau*, uma revista de tendência antiliberal e antissemita. Nele, Heidegger celebra a figura do predicador agostiniano Abraham a Sancta Clara, conhecido pelo nacionalismo virulento e por invocar pogroms contra os judeus. Para o jovem Heidegger, essa "mente genial" queria "a saúde do povo, na alma e no corpo". Muito mais tarde, em 1964, Heidegger, renomado, continua a ver nesse caçador de judeus e turcos um "mestre para nossa vida".

Em 1916, em 18 de outubro, ele escreveu à mulher, Elfriede: "A judaização (*Verjudung*) de nossa cultura e das universidades é de fato assustadora e penso que a raça alemã (*die deutsche Rasse*) deveria encontrar suficientes forças internas para chegar ao topo". Em 1918, no dia 17 de outubro, confidenciou-lhe: "Reconheço, de maneira cada vez mais imperiosa, a necessidade de Führers". Em 1920, 12 de agosto, concluiu: "Tudo está inundado de judeus e aproveitadores".

Com ou sem a ciência

Em 1932, conforme recentemente confirmado por seu filho Hermann, Heidegger votou no partido nazista. Em 1933, 12 de março, ele escreveu – de novo a Elfriede –, a propósito do filósofo Karl Jaspers, que era um amigo próximo: "Fico impressionado de ver como esse homem, puramente alemão, de instinto extremamente autêntico, que percebe a mais alta exigência de nosso destino [...] continua ligado à sua mulher". Esta – será preciso dizer? – era judia. A Jaspers, que lhe perguntou como um homem culto como ele podia ter a mínima admiração pelo personagem vulgar e grosseiro de Hitler, Heidegger respondeu: "Ele tem mãos tão belas"...

Ao se tornar reitor na Alemanha do III Reich, Heidegger se esforçou para revolucionar a universidade, a fim de que ela estivesse à altura do suposto destino do povo alemão. A suposta desgraça após a demissão não resultaria de uma "resistência", mas de disputas internas entre ideólogos nazistas. Seu *Discurso do reitorado* se tornou, pelo contrário, um clássico do nazismo, frequentemente citado pelas organizações estudantis antissemitas, reeditado a milhares de exemplares até o ano de... 1943! Depois da Noite dos Longos Punhais, em 30 de junho de 1934, Heidegger participou, em setembro, do projeto de uma Academia dos Professores do Reich, em que propôs "repensar a ciência tradicional a partir das interrogações e das forças do nacional-socialismo". Ainda em 1943, enquanto a falta de papel chegava ao auge, as edições Klostermann receberam do ministério uma entrega especial para... imprimir as obras de Heidegger. Perseguido?

Depois da guerra, proibido de ensinar pelo resto da vida pelas autoridades aliadas, mais tarde autorizado a dar aulas novamente, em 1951, Heidegger nunca condenou explicitamente o nazismo. Da mesma forma, não se posicionou a respeito do assassinato de milhões de judeus. A esse silêncio, mantido mesmo quando o poeta Paul Celan o visitou a esse respeito, somam-se as "cordiais saudações de Natal e votos de Ano-Novo" que ele enviou, em 1960, ao raciólogo Eugen Fischer, fundador e dirigente do Instituto de Higiene Racial, que inspirou as experiências do doutor Mengele.

Duas faces ou uma só?

Como pensar a relação entre o Heidegger filósofo e o Heidegger militante? Há três maneiras de responder a essa pergunta. A primeira consiste em pura e simplesmente negar a existência de um lado sombrio de Heidegger. Um pequeno grupo de discípulos se dedica a dizer que o mestre está sendo caluniado quando alguém lembra seu fervor pela cruz gamada. O resultado é estranho, pois cada gesto precisa, então, ser interpretado de maneira diferente. Quando Heidegger faz a saudação nazista, celebra o Führer, utiliza os termos do vocabulário racial hitleriano, deve-se considerar que está dizendo "outra coisa", inscrita em outro contexto. O que ele faz e diz sempre tem outro significado, diferente daquele que percebemos.

A segunda atitude consiste em tentar manter os dois lados unidos, sob tensão, enfrentando o mal-estar que a oposição entre ambos suscita. Os que adotam essa atitude consideram que Heidegger foi um dos maiores pensadores dos tempos modernos e que foi profunda e intensamente nazista. A questão a ser resolvida, nesse caso, é saber onde e como colocar uma linha divisória entre o apelo do ser e as tropas de assalto, ou explicar como os dois podem se conjugar.

A terceira saída é considerar que só existe o lado sombrio, que o lado que parece límpido não passa de uma face externa, ou sua aparência vista de longe. Em outras palavras, tudo levaria, em

Heidegger, à mesma fonte de inspiração de Hitler – de maneira mais torneada, mais prolixa, mais engenhosa.

O fato é que, em 1933, em Freiburg, Heidegger viu sindicalistas serem presos, judeus serem molestados, vitrines de lojas "não arianas" serem quebradas. Ele não seguiu a via da resistência ou do exílio, ele entrou para o partido nazista. Mesmo admitindo que seu pensamento não o levou a isso, nada em sua filosofia o impedia de fazê-lo – nenhuma trava de segurança, nenhuma mureta de proteção o detinha. Assim, podemos preferir seguir caminho com outros filósofos. E escolher ignorá-lo.

Resta saber por que ele tanto fascinou, que caminhos o levaram a se tornar um mestre do pensamento – mais próximo, no caso, dos guru-profetas do que dos pensadores científicos. Como se deu sua redenção, e o esquecimento de seus erros, apesar da quantidade de provas irrefutáveis – arquivos, testemunhos de contemporâneos, trabalhos de historiadores –, que não deixam nenhuma dúvida sobre a realidade de seu engajamento convicto junto às autoridades hitlerianas e às instituições do III Reich?

Uma paixão francesa

Durante a Libertação da França, as autoridades aliadas tomaram, com pleno conhecimento de seu dossiê, a decisão de proibir definitivamente a presença de Heidegger no ensino público. Georg Lukács o havia apelidado de "SS do pensamento", enquanto Theodor Adorno julgava sua doutrina "fascista" de alto a baixo.

Podemos achar enigmático, portanto, o fascínio sem igual que esse autor despertou na França, ao longo de mais de sessenta anos. Nenhum outro país, na Europa ou no resto do mundo

– exceto o Japão –, viu livrarias invadidas por tantas publicações de ou sobre Heidegger, estudantes saciados por tantos cursos inspirados em Heidegger, intelectuais animados por tanto fervor piedoso pelo pensador da Floresta Negra.

Essa piedade, essa conivência na admiração extática ainda estão longe de terem sido elucidadas. Como Heidegger conseguiu recuperar tão rapidamente, no lado francês do Reno, uma virgindade política e uma legitimidade intelectual? No pós-guerra imediato, comunistas como Henri Lefebvre denunciavam o "nazista Heidegger", católicos fervorosos como Gabriel Marcel o ridicularizavam. Sartre teve um papel crucial em sua reabilitação, escolhendo reduzir seu engajamento hitleriano a uma vaga fraqueza de caráter. Mesmo assim, as polêmicas se sucederam na revista *Les Temps Modernes*, em 1947 e 1948, principalmente com ataques de Karl Löwith e Éric Weil contra os perigos do pensamento heideggeriano.

A consagração francesa foi obra de Jean Beaufret e, depois, de René Char. O professor e o poeta tinham em comum o fato de serem antigos resistentes. Tudo o que era enevoado a respeito de Heidegger, portanto, foi enterrado. Apesar de algumas turbulências, como a descoberta e a publicação, por Jean-Pierre Faye, em 1961, de várias proclamações nazistas de Heidegger, o fascínio por sua obra se tornou um dos eixos da reflexão francesa. Pensadores distintos – de Jean-Paul Sartre a Jacques Derrida, passando por Kostas Axelos, Emmanuel Levinas ou Paul Ricoeur, entre outros – tiveram em comum o fato de trabalharem, cada um à sua maneira, em relação de proximidade, maior ou menor, com a abordagem de Heidegger.

Essa atenção multiforme, enevoada ou distante, era desprovida de senso crítico. Por mais que Heidegger tenha professado que somente o grego e o alemão eram línguas filosóficas, por mais que tenha inventado à força etimologias estapafúrdias e multiplicado as contorções verbais, por mais que tenha fabricado uma gnose poético-ecológico-religiosa catastrofista e encantatória, desertificado a história do pensamento mantendo apenas alguns filósofos e silenciando a respeito de outros, por mais que tenha afirmado que "a ciência não pensa", demonstrado constantemente seu ódio pelo cosmopolitismo e pela modernidade, reiterado seu desprezo pela racionalidade, seu horror à técnica, sua veneração pelo papel dos poetas, ele continuou recebendo a atenção do país de Descartes. Apesar da existência de trabalhos que desbravaram o terreno, este enigma ainda precisa ser elucidado.

De Heidegger, o que ler primeiro?

Questions I et II. Paris: Gallimard, 1990. (Coleção "Tel".)

E depois?

Chemins qui ne mènent nulle part. Paris: Gallimard, 1986. (Coleção "Tel".)

Ser e tempo. Tradução de Fausto Castilho. Campinas, SP; Rio de Janeiro, RJ: Editora da Unicamp/ Vozes, 2012.

Sobre Heidegger, o que ler para ir mais longe?

OTT, Hugo. *Martin Heidegger: a caminho da sua biografia*. Tradução de Sandra Lippert Vieira. Lisboa: Instituto Piaget, 2000.

JANICAUD, Dominique. *Heidegger en France*. Paris: HACHETTE, 2005.

FAYE, Emmanuel. *Heidegger, l'introduction du nazisme dans la philosophie*. Paris: Le Livre de poche, 2007.

Terceira parte

NO LIMITE DAS PALAVRAS

A análise da linguagem adquiriu, na filosofia do século XX, uma importância sem precedentes na história. Desnecessário dizer que a fala, a correspondência entre palavras e ideias, as estruturas das línguas e suas origens vinham constituindo, havia tempo, temas importantes de reflexão filosófica. As interrogações e as disputas suscitadas atravessam os séculos. No fim das contas, porém, eram questões entre tantas outras. No século XX, a linguagem se torna uma questão fundamental.

A chamada "virada linguística" considera todas as interrogações sob o ângulo da formulação, tanto formal quanto lógica. Manifesta especialmente em Russell e nos lógicos do início do século, ela se desenvolve nas pesquisas de Ludwig Wittgenstein e nos trabalhos do Círculo de Viena – antes de acabar marcando quase toda a reflexão contemporânea. A atitude principal consiste em eliminar os problemas mal colocados, as questões sem objeto geradas por nossa desatenção às construções da língua, nossas confusões entre as maneiras de dizer e as realidades.

Uma grande parte da filosofia se transforma em análise da linguagem cotidiana, ou em exploração das diferenças entre a maneira de falar de todos os dias e o rigor de uma língua puramente lógica. Além disso, essa metamorfose se liga a outros aspectos das mutações do vocabulário do século XX.

De fato, quando se fala em "solução final" para designar o assassinato e a cremação de milhões de judeus, quando as prisões, deportações e mortes são chamadas de "limpeza", "depuração" ou "tratamento especial", a desumanização também passa pelos modos de expressão. Muitos termos antigos são esvaziados de sentido pela ascensão dos totalitarismos. Mesmo palavras como "cidadão", "liberdade pública" e "política" se tornam fórmulas vazias. Não sabemos mais o que elas queriam dizer ontem, nem o que poderão significar amanhã. Tudo precisa ser reconstruído.

Enquanto o campo político é uma paisagem em ruínas, o das ciências parece menos atingido: a linguagem científica não é precisa, objetiva, construída sob medida para explicar observações e experimentos? No entanto, até isso é colocado em causa: a tradução dos termos de uma língua à outra se revela imperfeita, e nem a própria ideia de significação é tão sólida quanto se pensa.

Esses momentos fundadores dos questionamentos contemporâneos estão ligados às obras que apresentaremos a seguir. Ludwig Wittgenstein examina nossa relação com as palavras para dissolver os falsos problemas que construímos a partir de falsas interpretações das fórmulas cotidianas. Hannah Arendt analisa de que modo os termos centrais da política foram esvaziados de sentido, e em que direção poderia seguir uma eventual reconstrução dos mesmos. Willard van Orman Quine enfatiza

Introdução

os limites da linguagem científica, a enganosa complexidade das noções de tradução e significação.

Os três, com métodos diferentes, levam o pensamento contemporâneo a novos caminhos, marcados pela atenção à linguagem. Daqui por diante, toda reflexão sobre a verdade, seu sentido e seu estatuto passará pela análise dos "jogos de linguagem". Uma tendência que segue crescendo até os dias de hoje.

- **Nome: LUDWIG WITTGENSTEIN**
- **Ambiente e meio**

A Viena dos tempos de glória e Cambridge como refúgio do pensamento. Mas também uma cabana solitária na Noruega, para um aventureiro em busca de certezas.

- **9 datas**

1889 Nasce em Viena, numa família riquíssima.
1911 Instala-se em Cambridge, junto a Bertrand Russell.
1914-18 Engajado como voluntário no exército austríaco, é ferido e feito prisioneiro na Itália. Escreve o primeiro livro.
1919 Renuncia à sua fortuna, torna-se professor na montanha.
1921 Publica o primeiro livro, *Tractatus logico-philosophicus*.
1929 Retorna a Cambridge.
1935 Viaja à URSS.
1939 Eleito professor na Universidade de Cambridge, dá aulas em seu apartamento.
1951 Morre de câncer.

- **Conceito de verdade**

A verdade, para Wittgenstein:
não se distingue de nossas maneiras de falar,
é analisada em termos lógicos e linguísticos,
deve ser abordada limpando-se o pensamento
dos erros gerados pelo uso que fazemos das palavras.

- **Uma frase-chave**

"O que não pode ser dito deve ser calado."

- **Posição ocupada no pensamento contemporâneo**

Torna-se central à medida que são publicados seus cadernos, anotações de aulas e textos póstumos. Limitados, em vida, a um círculo restrito, os leitores de suas ideias não cessam de crescer nas últimas décadas. Hoje, é impossível ignorá-las.

Capítulo 7

Onde Ludwig Wittgenstein
faz uma faxina no pensamento

Como utilizamos as palavras? Como elas correspondem à realidade? Como podemos tomar as palavras por realidades, se elas não passam de maneiras de dizê-la? Como perceber esses equívocos? É possível extingui-los? Ou atenuá-los? Perguntas como essas atormentavam Ludwig Wittgenstein.

De certo modo, Wittgenstein foi um personagem de romance. Engenheiro, soldado, jardineiro, professor, arquiteto, catedrático, eremita, padioleiro... ele estava sempre mudando. Seu gênio nômade rompeu com inúmeros círculos, enquanto elaborava uma obra imensa e radical. Sua abordagem filosófica, decisiva e atípica, foi uma das mais originais dos tempos modernos. Não surpreende sua influência ter crescido ininterruptamente depois de sua morte, em 1951.

Um certo tempo foi necessário para que se pudesse avaliar a contribuição de Wittgenstein à filosofia, pois ele não publicou quase nada em vida. O que o entusiasmava? Música e mecânica. A música era inevitável quando se nascia em Viena, em 1889, num palácio com sete pianos e onde todos eram neuróticos e virtuoses – foi para Paul, o irmão pianista que perdeu um braço na guerra, que Ravel compôs o *Concerto para mão esquerda*. Brahms era íntimo da família, bem como o pintor Klimt e inúmeros artistas. O pai, Karl, era riquíssimo: recebia os Carnegie e os Krupp. Mas esse empresário metalúrgico era amigo das novas artes, gostava sobretudo daquilo que chocava os burgueses austríacos.

O menino e a máquina de costura

O pequeno Ludwig não sonhava apenas em tornar-se maestro. Aos onze anos, fabricou sozinho uma máquina de costura completa. Rodas dentadas, motores e aviões habitavam seu universo. Em Linz, frequentou uma escola privada. Em sua classe, um certo Adolf Hitler. Não é impossível que Ludwig seja o jovem judeu inteligentíssimo mencionado por Hitler, que mais tarde quis se vingar. No entanto, convém tomar cuidado com a proliferação de ficções. Melhor desconfiar da tendência que tende a ver Wittgenstein em toda parte.

Aos vinte anos, ele começou a estudar engenharia e partiu para Manchester para aprender sobre os sistemas de propulsão dos aviões. A matemática começou a entusiasmá-lo e, em pouco tempo, também as questões lógicas e filosóficas que ela desencadeia. Ele foi a Cambridge seguir as aulas de Bertrand Russell, que acabava de publicar com Whitehead os *Principia Mathematica*. Ludwig sentia-se visivelmente atraído pela teoria lógica pura e pela abstração filosófica. No entanto, hesitava. Aquele seria mesmo seu caminho?

Em *Portraits of Memory*, Russell lembra desse jovem diferente dos outros: "Ele era estranho, e suas noções me pareciam bizarras, de modo que por um trimestre inteiro não consegui me decidir se era um gênio ou simplesmente um excêntrico. Ao fim do primeiro trimestre em Cambridge, ele veio me ver e disse: 'Por favor, me diga se sou completamente idiota ou não'. Respondi: 'Meu caro, não tenho como saber, por que a pergunta?'. Ele disse: 'Porque se eu for completamente idiota, me tornarei aeronauta; senão, me tornarei filósofo'. Pedi que escrevesse alguma coisa durante as férias, sobre algum tema filosófico, e eu diria, então, se ele era completamente idiota ou não. No início do trimestre seguinte, ele me entregou o resultado dessa sugestão. Depois de ler uma única frase, eu disse: 'Não, você não pode se tornar um aeronauta'. E ele não se tornou".

Ele se tornou um soldado, pois a guerra tinha acabado de eclodir. Destacado para um torpedeiro no Vístula, Wittgenstein escreveu seu primeiro livro em pequenos cadernos – sob o ruído dos motores, sob o cansaço e o frio. Objetivo: acabar com a filosofia. O ponto mais importante reside numa crítica da linguagem capaz de dissolver as questões artificiais da metafísica. Somente as frases providas de sentido descrevem os fatos e os acontecimentos que têm lugar no mundo. Em que consiste o mundo, sua textura, sua presença? Impossível dizer.

Para responder à pergunta "o que é o verde?", feita por alguém que não o conhece, não posso dizer "é isso"... e apontar para alguma coisa verde. A realidade exterior à linguagem pode ser apontada e experimentada, mas é inexprimível. Wittgenstein a chama "o místico". O erro mais comum consiste em querer expressar esse indizível. Contra essa ilusão, ele propõe uma regra: *"O que não pode ser dito deve ser calado"*.

Professor na Baixa Áustria

O breve volume que reúne suas análises apresenta um título dissuasivo: *Tractatus logico-philosophicus*. Publicado em 1921, foi logo considerado pelos leitores capazes de compreendê-lo (ao menos em parte...) como uma das maiores obras de seu tempo. Wittgenstein, por sua vez, se desinteressou completamente do que havia feito. Estava em outra. Havia herdado uma parte imensa da fortuna paterna e logo se livrara dela doando-a aos irmãos e irmãs – menos perturbados por esse dinheiro, explicou ele, do que ficariam os pobres. Depois de ser jardineiro por certo tempo no monastério de Hütteldorf, na Baixa Áustria, obteve o diploma de professor, mas partiu para construir uma cabana na Noruega, em Skjolden, às margens de um lago deserto. Viveu ali por um verão, antes de ensinar os pequenos montanheses austríacos de aldeias perdidas a ler e a contar: Puchberg, Trattenbach, Otterthal... Em poucos anos, ele se cansou. Ao contrário do sugerido por Rousseau, os camponeses eram mesquinhos, seus filhos eram limitados.

O que ele tinha ido fazer naqueles cantos perdidos? "Ele se tornou completamente místico", escreveu Russell. Angústia e instabilidade nunca o abandonavam, sua homossexualidade o fazia sentir-se culpado. Keynes, em 1924, tentou fazê-lo voltar a trabalhar. "Tudo o que devia realmente dizer eu já disse, e, por isso, a fonte secou. Pode soar estranho, mas assim é", respondeu Wittgenstein. Ele levou mais um tempo para reencontrar o caminho da universidade. Antes construiu uma casa em Viena para a irmã Margarete, desenhando as plantas, as portas, as fechaduras, os radiadores... Ela ainda pode ser admirada na Kundmanngasse. Seu estilo arquitetônico lembra o de Loos.

Wittgenstein voltou a Cambridge em 1929. Defendeu uma tese de doutorado sobre o *Tractatus*, deixando bem claro aos membros da banca, dentre os quais Russell: "Não se preocupem, sei que vocês nunca entenderão nada". Tornando-se professor universitário, o excêntrico não fazia nada como os outros. Em vez de dar aulas, reunia alguns estudantes em seu quarto e ditava interminavelmente seus pensamentos – sob a forma de adivinhações curiosas e jogos que pareciam contos absurdos. À primeira vista, porém, pois pouco a pouco, de tanto repassar os mesmos enigmas por uma série de circuitos diferentes, a paisagem inteira foi transformada.

"Uma vida maravilhosa"

Aquele que os especialistas hoje chamam de "Wittgenstein II" inventou uma nova maneira de pensar, criticou suas próprias análises anteriores. O que o interessava: desenredar as múltiplas maneiras que temos de acionar as palavras, de nos "desembaraçarmos" – ou de nos "embaraçarmos" – com o sentido flutuante que lhes atribuímos. "Uma palavra não tem um sentido que lhe seja dado, por assim dizer, por uma força independente de nós; como se pudesse haver uma espécie de pesquisa científica sobre o que a palavra quer realmente significar. Uma palavra tem o sentido que alguém lhe deu." Ele continuava, longe da rigidez de antigamente: "Muitas palavras não têm sentido estrito, mas não se trata de um defeito. Pensar o contrário seria como dizer que a luz de minha lâmpada de trabalho nada tem de uma luz verdadeira porque ela não tem um limite nítido".

Esses anos de passeios em voz alta pelo pensamento o mobilizaram, mas não o satisfizeram. Cadernos recopiados circulavam. O pensador seguia experimentando, mas não publicava nada. Ele deu sequência às errâncias imprevisíveis e partiu para a URSS, voltou à cabana na Noruega e por fim regressou a Cambridge, recebendo uma cátedra prestigiosa em 1939. Ele a abandonou durante a guerra para se tornar padioleiro, pediu demissão da universidade ao fim dos combates e partiu para a Irlanda, onde viveu numa cabana de pescador. Outros périplos ocuparam o fim de sua vida: Estados Unidos, retorno a Viena, última passagem pela Noruega. Perseguidor de repouso sempre em movimento, Wittgenstein morreu de câncer em 29 de abril de 1951. Sua última frase: "Diga-lhes que tive uma vida maravilhosa". Brincadeira final ou a verdade pura e simples?

A caça ao falso problema

A vida de Wittgenstein, em certo sentido, foi maravilhosa. Segundo critérios que não os de êxito social, financeiro ou acadêmico, é claro. Com uma liberdade extraordinária, ele inventou uma maneira – febril e frágil, inflexível e inquieta – de continuar suas buscas. Mas o que ele buscava, ao certo? Como definir o estilo de seu pensamento? "O que fazemos consiste em limpar nossas noções, em clarificar o que pode ser dito do mundo." Separando o que podem nossas palavras e seus usos do que está fora do alcance da linguagem, ele aperfeiçoou a caça aos falsos problemas.

A atividade que lhe era característica não consistiu em "fazer" filosofia, mas em desfazê-la. Ele nunca trabalhou para perpetuar a massa de questões geradas por 25 séculos de ruminações metafísicas. Pelo contrário, ele tentou arrumar a casa. Ou melhor: ele sonhou, no fim das contas, em conseguir dissolver essa carapaça. A seus olhos, a maioria dos problemas nasce de ilusões, de erros e de mal-entendidos gerados por nossas maneiras de falar. A reflexão deve travar "um combate contra o fascínio que as formas de expressão exercem sobre nós".

Em Cambridge, para desfazer o que delicadamente chamou de "cólicas mentais", Wittgenstein procurou distinguir os usos que fazemos das palavras. Apesar de nossos termos parecerem ser sempre os mesmos, não damos a eles um sentido idêntico para interrogar ou afirmar, ordenar ou descrever, supor ou gemer. Para tornar essas situações distintas apreensíveis, Wittgenstein inventou "jogos de linguagem" – ficções breves, descrições de mundos imaginários. Por exemplo: num universo que durasse apenas vinte minutos, imaginemos uma professora ensinando os alunos a contar. Diríamos que está fazendo matemática? Ou então: quando gritamos "Ai!", estamos pensando em alho? Ou ainda: quando imaginamos Goethe tentando descrever uma sinfonia de Beethoven, por que nos sentimos incomodados?

A aparente estranheza desses jogos pode lembrar certas práticas do budismo zen. Existe outro ponto de contato: a intenção de "limpar" o pensamento, desfazer-se das crispações, promover uma doutrina-utensílio. Wittgenstein comparava seu trabalho a uma escada: indispensável para subir, não a levamos conosco depois de passar o muro – o que podemos aproximar do Buda, que compara sua doutrina a uma jangada, que não levamos nas costas depois de chegar à outra margem. Some-se a esses elementos de possível paralelismo uma dimensão existencial do pensamento, que leva a uma modificação da vida. "O trabalho em filosofia [...] é acima de tudo um trabalho sobre si mesmo", ele escreve, acrescentando, em outro lugar: "A solução do problema que vemos na vida é uma maneira de viver que faça desaparecer o problema".

A melhor maneira de limpar o pensamento seria transformar a própria vida? Wittgenstein parece ter acreditado que sim. Isso ficou mais claro depois da descoberta de seus cadernos, que se acreditavam perdidos, escritos em Cambridge e Skjolden, na cabana norueguesa. Descobriu-se um homem que sonhava em compor melodias, que temia ser atingido pela loucura e que considerava que a filosofia tinha apenas o fraco poder "de apaziguar o espírito sobre questões insignificantes". Esse Wittgenstein foi um solitário buscador do absoluto. Ele buscava Deus e não encontrava ninguém, mas em grande estilo... "Uma alma que, mais despida que outra, vai do nada ao inferno, passando pelo mundo, causa maior impressão no mundo do que as almas burguesas bem-vestidas."

Essa frase também fala dele mesmo. E talvez, paradoxalmente, de sua "vida maravilhosa". Manter-se sempre "uma alma mais despida que outra", nunca parar de viajar, nunca cessar de buscar ou vagar, ser um gênio sem posar como um, ensinar em Cambridge mas não estar nem aí, ir ao cinema ver filmes de faroeste em vez de escrever um artigo para a revista *Mind*, constantemente limpar a filosofia e colocar uma gravata, um dia, para oferecer rosas a Yvette Guilbert em seu camarim... essa sem dúvida foi uma vida maravilhosa.

Um homem sem certezas

O lugar de Wittgenstein continua difícil de definir, e as discussões em torno do alcance de sua obra continuam em aberto.

Em linhas gerais, tornou-se comum distinguir uma primeira parte de seu percurso – a época do *Tractatus logico-philosophicus*, ou "Wittgenstein I" –, dedicado a acabar com a filosofia. Esta não construiria nada, não mudaria nada no mundo, pelo contrário, deixaria tudo como está. Seu impacto seria apenas crítico.

O mais importante na atividade filosófica, para esse Wittgenstein da primeira fase, é a crítica da linguagem, que deve resultar numa espécie de autodissolução. Somente as frases dotadas de sentido descrevem os fatos, os acontecimentos que ocorrem no mundo. Nesse sentido, a ciência é possível e não faz mais que narrar o mundo. Mas o mundo em si – sua textura, sua presença – permanece impossível de narrar. O erro mais comum consiste em tentar expressar esse indizível. A metafísica, sob esse ponto de vista, é impossível e ilusória.

Com o breve livro de Wittgenstein, o assunto foi encerrado? Ele conseguiu esclarecer o que convém fazer para utilizar nossas frases de maneira legítima e o que é preciso evitar para não cair na verborragia vazia dos filósofos. Parece suficiente. Nos anos 1930, porém, em Cambridge, vários elementos se modificaram. Os jogos de linguagem diversificaram muito as abordagens e as perspectivas. E as *Investigações filosóficas*, bem como *Zettel*, marcaram a ruptura de "Wittgenstein II" com o pensamento de seu predecessor, "Wittgenstein I".

Talvez não devêssemos continuar com essa cômoda porém esquemática bipartição entre "I" e "II". No fim da vida, entre 1949 e 1951, Wittgenstein escreveu uma série de notas, numeradas de 1 a 676, a última rabiscada dois dias antes de morrer. O texto, publicado sob o título *Da certeza*, pode desconcertar.

Ele não expõe, de maneira clássica, o desenvolvimento de uma análise contínua. Ele retorna, de sequência em sequência, às mesmas dificuldades, vistas a cada vez sob um ponto de vista diferente. Objetivo: desfazer o nó dos falsos problemas acavalados. Meios: humor e lógica, por meio de histórias à primeira vista insólitas ou extravagantes.

Vejamos alguns exemplos:

430. Encontro um marciano e ele me pergunta: "Quantos dedos do pé têm os seres humanos?". Respondo: "Dez. Vou te mostrar". E tiro os sapatos. Se ele se surpreendesse por eu sabê-lo com tanta certeza, sem olhar para os meus dedos do pé, eu por acaso diria: "Nós, os seres humanos, sabemos quantos dedos do pé temos, vendo-os ou não"?

450. Estou sentado com um filósofo no jardim; ele repete várias vezes: "Eu sei que isso é uma árvore", apontando para uma árvore perto de nós dois. Uma terceira pessoa chega e o ouve. Eu lhe digo: "Esse homem não está louco. Estamos filosofando".

O que Wittgenstein está tentando dissolver? A falsa concepção, tipicamente filosófica, da dúvida e do saber. Dizer, diante de uma árvore, que sabemos que ela é uma árvore: essa é uma situação... que nunca acontece! Quando a criamos artificialmente, forjamos, ao mesmo tempo, a ilusão de um saber que não corresponde a nada. De seu ponto de vista, não faz sentido dizer "sei que esta é minha mão", ou "tenho dez dedos do pé, tenho certeza". Pois, de fato, nunca pensamos nessas coisas. Assim, o que caracteriza a certeza não é o fato de ser explícita, mas o fato, ao contrário, de permanecer silenciosa.

Ninguém duvida que a Terra exista há cem anos. Podemos dizer que cada um de nós *"sabe"* disso? O homem sensato, insiste Wittgenstein, *não tem* certas dúvidas. Meu nome é mesmo meu nome? Minhas duas mãos desaparecem quando durmo? A língua que falo é de fato a que penso falar? O endereço de minha casa é de fato o que acredito conhecer? Fazemos essas perguntas apenas quando somos loucos, ou filósofos. Na vida real, é bem diferente: "476. A criança não aprende que os livros existem, que as poltronas existem etc. – ela aprende a ir buscar livros, a sentar-se em poltronas etc.".

À certeza como produto artificial que poderia resistir à grande máquina de dúvidas dos filósofos, Wittgenstein opõe uma certeza-modo de vida. Em vez de ponto de chegada, ela é um ponto de partida – uma espécie de evidência animal integrada à ação. A certeza não é intelectual ou conceitual. Ela não resulta de dúvidas, ela nos permite construí-las, é ela que constitui o pano de fundo. No princípio era a certeza. Tão evidente e tão arraigada na ação e no uso, tão corporal, que é preciso renunciar a toda vontade de justificá-la pela lógica.

Ainda estamos longe de ter realmente compreendido essa revolução. Se a levarmos a sério, toda a questão do saber deve ser colocada de outro modo. Ao "eu sei que nada sei", de Sócrates, ao "o que sei?", de Montaigne, ao "o que posso saber?", de Kant, é preciso acrescentar a perturbação de Wittgenstein. Ela pode ser resumida da seguinte maneira: "Primeiro vivo, depois sei". Ou então, para falar como ele: "Eu não sabia que tinha dez dedos do pé antes de um marciano vir me perguntar quantos eu tinha".

De Wittgenstein, o que ler primeiro?

Da certeza. Tradução de Maria Elisa Costa. Lisboa: Edições 70, 2012.

E depois?

Le Cahier bleu et le Cahier brun. Paris: Gallimard, 2004. (Coleção "Tel".)

Tractatus logico-philosophicus. Tradução de Luiz Henrique Lopes dos Santos. São Paulo: Edusp, 2008.

Sobre Wittgenstein, o que ler para ir mais longe?

GRANGER, Gilles-Gaston. *Invitations à la lecture de Wittgenstein*. Paris: Alinéa, 1990.

HADOT, Pierre. *Wittgenstein e os limites da linguagem*. Tradução de Flávio Fontenelle Loque e Loraine Oliveira. São Paulo: É Realizações, 2014.

LAUGIER, Sandra. *Wittgenstein. Les sens de l'usage*. Paris: Vrin, 2009.

BOUVERESSE, Jacques. *Wittgenstein: la rime et la raison*. Paris: Éditions de Minuit, 1973.

☞ *Com Wittgenstein, o que conta é o uso das palavras, não seu conteúdo. O essencial reside na função que elas preenchem e na maneira pela qual as utilizamos.*

☞ *Com Hannah Arendt, o mais importante é o caminho para tentar reconstruir o sentido de palavras que se tornaram, depois das guerras e dos totalitarismos do século XX, cascas vazias: cidade, cidadão, liberdade, poder.*

- **Nome: HANNAH ARENDT**
- **Ambiente e meio**

Da universidade alemã antes da chegada dos nazistas ao poder às universidades americanas, passando por Paris, uma vida feita de viagens, boemia e escrita ininterrupta.

- **10 datas**

1906 Nasce em Hannover, em 14 de outubro.
1928 Depois de estudos de filosofia com Husserl e Heidegger, tese com Jaspers, *O conceito de amor em Santo Agostinho*.
1933 Deixa a Alemanha nazista pela França.
1941 Deixa a França pelos Estados Unidos.
1951 Torna-se cidadã americana, publica *As origens do totalitarismo*.
1955-1967 Dá aulas de filosofia em diversas universidades americanas.
1958 Publica *A condição humana*.
1963 Publica *Eichmann em Jerusalém*.
1967 Professora de filosofia na New School for Social Research (Nova York).
1975 Morre em Nova York, em 4 de dezembro.

- **Conceito de verdade**

A verdade, para Arendt:
é definida pela relação com a ação,
está ligada à pluralidade das concepções humanas,
depende das condições históricas e políticas de cada época.

- **Uma frase-chave**

"As palavras justas, proferidas no momento adequado, são ações."

- **Posição ocupada no pensamento contemporâneo**

Em ascensão, pois os temas que aborda e as teses que defende encontram um eco cada vez maior. Outrora julgada secundária, sua obra hoje é por vezes considerada central para a compreensão da modernidade.

Capítulo 8

Onde Hannah Arendt tenta reconstruir uma cidade em ruínas

"Havia nela uma intensidade, uma direção interior, uma busca instintiva da qualidade, uma procura tateante da essência, uma maneira de ir ao fundo das coisas que espalhavam uma aura mágica a seu redor. Sentíamos sua absoluta determinação de ser ela mesma, que só se igualava à sua grande sensibilidade." Assim se expressa Hans Jonas no dia do enterro de Hannah Arendt, em Nova York, em 8 de dezembro de 1975. Ele lembra da jovem estudante judia, espantosamente genial, que acompanhava a seu lado, meio século atrás, as aulas de Heidegger em Marburg. Essas frases podem ser aplicadas a toda a trajetória, vida e obra mescladas, dessa mulher que correu o risco de pensar sobre as sombras do século para que um pouco de luz voltasse a ser possível.

Hannah Arendt nunca cessou de querer compreender. Para aquela que aos catorze anos lia Kant na cidade onde este havia vivido, Königsberg, esse desejo obstinado assumiu, a princípio, uma forma puramente filosófica. Pouco inclinada às meias medidas, ela estudou, na Alemanha dos anos 1920, com os melhores: Heidegger, Bultmann, Jaspers. Esses primeiros anos foram marcados pela febre das descobertas, pela exigência de elucidar o presente e pela paixão compartilhada com Heidegger – e por um primeiro livro, sua tese, *O conceito de amor em Santo Agostinho*, publicado em 1929.

O ano de 1933 marcou uma primeira ruptura em sua trajetória. Heidegger celebrava as virtudes do Führer e queria reformar a universidade, ela foi detida por ser judia e fugiu para a França. "Deixei a Alemanha invadida por uma certeza, sem dúvida bastante exagerada: nunca mais! Nunca mais o ambiente intelectual me tocará: não quero mais lidar com esse meio." Na França, ela trabalhou organizando a partida de crianças judias para a Palestina – até 1941, quando precisou se exilar de novo, dessa vez nos Estados Unidos.

Chegando lá é que ficou sabendo da existência dos campos de extermínio. A partir desse momento, seu esforço trilhou no sentido de compreender o que desafiava sua inteligência: o nascimento do totalitarismo. Como a vida política podia perder o sentido, como a linguagem perdia seu alcance? Como o desumano se tornava possível, não em monstros, mas em homens totalmente comuns? Como reinventar um mundo que superasse essa desordem? Perguntas como essas estavam no centro de suas reflexões.

Sem romper com os filósofos, cujas obras estava sempre interrogando, Arendt se engajou na elaboração de um pensamento sobre o espaço próprio ao político. Ela buscou apreender sua história, fragilidade, contingência, opacidade. Ao céu imóvel das ideias, ela preferia os enigmas cambiantes da Cidade, que parecia definitivamente perdida. Sua reflexão multiplicou os vaivéns entre História e presente, fontes clássicas e acontecimentos do momento. Ela também expunha os elementos de suas análises filosóficas na imprensa.

A banalidade do mal

Durante os anos de guerra, ela publica com frequência no *Aufbau*, jornal de língua alemã impresso em Nova York. Arendt defende sobretudo a necessidade de um exército judeu e o caráter indispensável à paz mundial de um "acordo definitivo entre judeus e árabes". Em inúmeros aspectos, ela soube, muito cedo, ver longe. Suas palavras com frequência escandalizavam. Enviada especial da revista *New Yorker* ao processo de Eichmann em Jerusalém, seus comentários suscitaram uma controvérsia internacional, que se prolongou na França quando da primeira tradução da obra, em 1966.

Muitos julgaram intolerável sua ênfase na colaboração de certos dirigentes das organizações judaicas com os nazistas. A Gershom Scholem, que a acusou de falta de amor por seu povo, Arendt respondeu: "O senhor tem toda razão. Eu não 'amo' os judeus e não 'acredito' neles: apenas pertenço a seu povo, evidentemente, para além de qualquer controvérsia ou discussão".

As polêmicas mascararam o verdadeiro alcance do livro, a começar pela questão da "banalidade do mal". Ao contrário do que foi erroneamente repetido inúmeras vezes, Arendt não buscou em nenhum momento "banalizar" os campos de extermínio. Ela sempre escreveu que eles não tinham precedentes nem equivalentes na História. Mas ela queria compreender como esse mal radical podia ser praticado por pessoas comuns, tolamente medíocres.

A banal normalidade de Eichmann era aterrorizante e levantava questões. No entanto, os mal-entendidos continuavam à espreita. A lição do livro muitas vezes foi entendida como sendo a de que as pessoas comuns podem se transformar em algozes. Arendt não diz, porém, que qualquer "zé-ninguém" pode facilmente se tornar desumano. Ela busca, em vez disso, compreender por que os monstros são, na aparência, tão pouco "monstruosos", tão comuns.

Não é apenas nas naturezas individuais que o essencial está em jogo, para Arendt, mas nos dispositivos sociais e políticos. "A linguagem administrativa é a única que conheço", dizia Eichmann. Quando o pensamento se confunde totalmente com o clichê administrativo, quando as palavras se submetem à neutralização totalitária, quando se diz "reagrupamento" em vez de "deportação", e "tratamento especial" em vez de "assassinato", o mundo foi como que congelado. Pois a condição humana é política antes de ser natural. Se o espaço do político for devastado, o desumano estará à espreita.

Refazer o político

Lembrar do lugar central da política constitui a principal contribuição de Hannah Arendt ao pensamento contemporâneo. Resta avaliar o que significa essa frase trivial. Dizer que a condição humana é política significa afastar, de imediato, a possibilidade de que o humano possa existir isoladamente. Não existe ser humano sem lastros numa existência coletiva. Por mais selvagem ou bruto que o imaginemos, ele só existe como humano no seio do espaço constituído por um viver-junto, por regras compartilhadas, por leis coletivamente aplicadas.

Aristóteles já ensinava: o homem – "animal político" – vive em regimes de poder instituídos, e não na ordem imutável e tácita da natureza. A reflexão de Arendt não se limita, evidentemente, a lembrar esse ponto central. Ela tenta compreender como os cataclismos do século XX puderam tornar inacessível, e mesmo incompreensível, o cerne da política e, portanto, a própria continuidade do humano. A originalidade de suas análises e seu alcance filosófico não foram apreendidos de imediato.

Arendt parecia jornalista demais, engajada demais nas lutas do presente para ser julgada com seriedade pelos filósofos de ofício. Para ser levada em consideração, talvez não devesse ser tão límpida e tão direta. Seu estilo não tem contorções, suas preocupações não têm mistério: totalitarismo, violência, condição humana, bomba atômica etc. Assim, por muito tempo ela foi considerada uma ensaísta ou uma politóloga. Inteligentíssima, sem dúvida. Superdotada, superculta, às vezes surpreendente. Filósofa, não. Nem um pouco.

Ela mesma negava ser uma filósofa, aliás, criticando, na tradição filosófica, a indiferença às questões da Cidade, a arrogância da torre de marfim e, mais ainda, as consequências, para todos, dos olhares dos pensadores a partir das nuvens enquanto os tiranos matavam a seus pés. Heidegger e Platão, nas duas pontas da história europeia, tinham ambos traído Sócrates e sua imersão na linguagem comum e nas ações da Cidade.

Essa crítica da deserção dos filósofos é, ela própria, filosófica. Mas será preciso um atento e sutil trabalho de leitura, comparação e reconstrução para se apreender exatamente o gesto de Arendt, sua força e especificidade. Essa crítica se dirige, de fato, tanto a

Husserl quanto a Heidegger: a fenomenologia considerou a experiência do "estar no mundo" como o traço fundamental da existência humana, mas pôs de lado a relação entre esse mundo existencial e a condição política. Ora, o mundo humano não é apenas da ordem do *Dasein*, do ser-aí evidente, ele é sempre *Mitsein*, ser-com, invenção da ação empreendida com outros. O mundo nunca é evidente. Para os humanos, ele sempre está sendo feito com os outros, fundado pela ação, existindo apenas ao ser feito.

Esse mundo com os outros, porém, desapareceu no século XX. Ele foi extinto pelos campos nazistas, pela destruição totalitária e pelos massacres em massa. Esse xeque da civilização não foi um acidente de percurso, um passo em falso monstruoso e de efeitos temporários que se apagariam por si mesmos, suavemente, com o passar dos anos. O humano ficou, a partir de então, sem mundo. Ele começou a sonhar em fugir da Terra, então, ao menos em escapar aos antigos marcos que delimitavam o mundo – o corpo, o sexo, a reprodução, a finitude...

A questão se transformou, portanto. Ela passou a ser formulada da seguinte maneira: sem mundo, ou nesse paradoxal "mundo acósmico", o que acontece com o humano? A abordagem de Arendt não consistiu em constituir uma nova "filosofia política", mas em partir da constatação de sua impossibilidade de apreender filosoficamente as ações políticas efetivas. Por isso Arendt nunca abandonou o diálogo com os filósofos. Eles sem dúvida estão cheios de preconceitos. Sem dúvida não podemos confiar muito neles. Mas "quem mais poderia vencer se eles nos abandonassem"? Ela tampouco esqueceu os poetas. Foi de René Char que tomou emprestada a imagem do "tesouro" da ação política. E toda sua obra talvez não passe de uma maneira de elucidar uma frase célebre desse poeta: "Nossa herança não é precedida por nenhum testamento".

Com Karl Jaspers

Foi na correspondência com seu orientador de tese, Karl Jaspers – nada menos que quatrocentas cartas, trocadas principalmente entre 1945 e 1969 –, que percebemos com clareza seu modo de trabalhar e sua maneira de articular os dados atuais com as análises filosóficas. Tudo isso em meio a uma vida sempre em movimento, difícil, às vezes dispersa.

Depois de sair da Alemanha, Hannah por muito tempo viveu com meios incertos e em quartos alugados. Ela trabalhava seu pensamento, mas em meio à desordem e à pressa: "Desde os doze anos", ela escreveu em 1945, "conheço apenas por ouvir dizer a palavra tranquilidade aplicada à atividade intelectual". Quando se tornou cidadã americana, em 1951, a notoriedade não tardou. Mas a tranquilidade nunca foi seu elemento: viagens, conferências, reportagens e polêmicas se sucediam.

Os comentários trocados por Arendt e Jaspers sobre a atualidade mundial formam um verdadeiro diário do século – da bomba atômica aos primeiros satélites, da Guerra da Coreia à do Vietnã, da "caça aos vermelhos" na América macarthista à revolução cultural da China de Mao. Os dois buscavam as condições e os fundamentos sobre os quais um mundo comum poderia existir depois que tudo havia sido destruído.

Tudo destruído... o que isso quer dizer? Que cidades foram arrasadas e que nações foram desfeitas? Que famílias foram aniquiladas e que obras foram pisoteadas? Que se perdeu a conta dos cadáveres? Não apenas isso. Antes, a história já havia conhecido muitos massacres. Mas os crimes nazistas não se inscreveram na mesma lista das matanças de guerras dos séculos anteriores. Eles foram de outro tipo, até então desconhecido. Desde 1946 Hannah Arendt tenta compreender "o que realmente aconteceu". Ela escreve a Jaspers: "Indivíduos não são assassinados por outros indivíduos por razões humanas, mas [...] tenta-se, de maneira organizada, exterminar a noção de ser humano".

Ao longo de vinte anos, tanto em livros quanto em cartas, ambos se interrogaram sobre as causas e as repercussões do cataclismo. Eles se perguntaram de que modo abordar o caos, por meio de que vias esclarecê-lo. O que é ser judeu? E ser alemão? Juntos, eles procuraram de que modo, "depois", ainda construir um mundo, um pensamento, uma ação. Com quem? E a partir de quê? Essas perguntas são vitais, o espírito como um todo deve se dedicar a elas: essa é a convicção que os dois compartilham à época. Eles sabem que é impossível esquecer que toda filosofia tem consequências políticas. Por isso, quando falam dela, aqui e ali, nunca são suaves com Heidegger, que julgam de uma "desonestidade afetada e infantil", desprovida de caráter e "capaz de vilanias".

Para os oitenta anos de Heidegger, Arendt escreve: "[...] Não podemos nos impedir de achar surpreendente e escandaloso que Platão e Heidegger, ao se engajarem nas questões humanas, tenham recorrido aos tiranos e aos ditadores. Talvez a causa não se encontre apenas nas circunstâncias de cada época, e menos ainda numa pré-formação do caráter, mas naquilo que os franceses chamam de deformação profissional".

A essa condenação da autoridade filosófica, e mesmo da antiga convivência entre despotismo e metafísica, Jaspers responde à sua maneira, tentando ampliar a filosofia europeia e conceber uma perspectiva realmente universal, que inclua a Índia e a China ao lado da herança dos gregos, esforçando-se em aplicar a reflexão também ao presente, tanto em relação à culpabilidade alemã quando à bomba atômica. "A filosofia deve se tornar concreta e prática, sem esquecer de suas origens por um instante sequer", ele escreve a Hannah.

O que eles chamam de "político" precisa, na verdade, ser reinventado. O termo nada tem a ver com engajamento, com tomadas de posição públicas, com petições e agitações militantes. A militância não é incompatível com o que os preocupa, mas tem outra natureza. O que fazer para que uma Cidade volte a ser de fato possível, para que ela não seja apenas fachada ou ficção, mas realidade pensada? Para que exista um após o totalitarismo, bem como novos cidadãos? Essas são as perguntas de Arendt.

Entre as respostas, há o grande tema da pluralidade – dos indivíduos, grupos, vozes, opiniões, línguas, culturas. Arendt a considera, cada vez mais nitidamente, o fato humano primordial. Esse espaço de pluralidade não pode ser compreendido pela filosofia e pela teologia. O totalitarismo tenta extingui-la. Se a pluralidade é a condição do político, sua própria essência, sob quais condições pode haver uma política da humanidade?

Ela exige que a humanidade seja una ou plural? Em que sentido podemos, hoje, entender essa unidade e essa pluralidade, após os totalitarismos? Todo o pensamento de Hannah Arendt, depois da guerra, gira em torno dessas questões. Poderíamos pensar que o estrondo da História havia definitivamente acabado com sua relação com Martin Heidegger. Entre a intelectual americana judia de esquerda e o antigo reitor nazista, nenhuma relação parecia possível. Isso seria não levar em conta a força do amor e os paradoxos dos sentimentos. A correspondência trocada por Martin e Hannah, publicada apenas em 1998, revela que eles nunca pararam de pensar um no outro.

Hannah e Martin

Quando eles se conheceram, em 1925, ela tinha 19 anos e ele, 36. Rumores de que Heidegger dava nova vida ao pensamento se espalhavam. Ela correu para ouvi-lo, se inscreveu em seu seminário, tomou lugar no círculo de alunos, se entusiasmou. Ele também. Heidegger lembra com ardor, 25 anos depois, a luz dos olhos dela. Esse "olhar [...] que cintilava ao cruzar com o meu quando eu estava dando aula" resiste às tormentas, aos silêncios, ao afastamento. Paixão, sem dúvida. Que nunca se apagou. Durante toda a vida, os dois conheceram, cada um a seu jeito, as repercussões desses poucos meses de paixão. Em certo sentido, nunca se livraram delas. Segundo a lógica, eles nunca deveriam ter voltado a se falar depois de 1933, menos ainda depois de 1945. Mas era de amor que se tratava. Portanto, acima de tudo, de eternos passarinhos azuis – e rosas sublimes, inevitáveis violinos.

Apaixonado, nem mesmo Heidegger escapa. E é tocante de ver. O pensador de *Ser e tempo* – que é publicado em 1927 e lhe garante um renome internacional – se revela, nas cartas, simplesmente humano. Ou seja, lírico, tímido, encantado, exigente. Alguns defeitos e certo peso estilístico permanecem, claro: "Quanto à via que tomará sua vida ainda tão juvenil, isso ainda permanece em reserva", ele escreve, por exemplo, na primeira carta àquela que logo será sua "travessa ninfa dos bosques". Esse Heidegger inesperado é quase irônico: "Imagino sem dificuldade o que pode haver de bastante desagradável na espécie chamada de 'alunos de Heidegger'. O que se espalha, de modo inquietante, é uma maneira totalmente crispada de pensar, de questionar, de disputar".

O mais surpreendente, porém, é a fidelidade intemporal, quase incondicional que subsiste entre os dois, apesar das divisões do mundo e do caos da história. Em 1950, eles não se escreviam desde 1932. Hannah toma a iniciativa. Ao voltar para a Alemanha, ela decide reencontrar Martin. Ele, por sua vez, explica seu amor a Elfriede, a esposa a quem o havia ocultado. Para o coração, decididamente, o tempo não passa. Hannah: "Quando a empregada do hotel pronunciou seu nome, foi como se o tempo tivesse parado". Martin: "Temos, Hannah, um quarto de século de nossas vidas a recuperar". Em seu gabinete, ele olha para ela e diz: "Você! Ah! Você!". E escreve vários poemas nas semanas seguintes, envia-lhe frases como: "Várias vezes me pego sonhando que passo o pente de cinco dentes em seus cabelos para desembaraçá-los".

Perto da cabana onde morava na montanha da Floresta Negra, Heidegger colhe para ela um cardo prateado, que envia aos Estados Unidos: "Se você tiver lugar, basta prendê-lo ao teto com um fio de seda acima de sua poltrona. Dali, ele espelhará o sol. O menor sopro de ar o fará oscilar e girar. Se o tempo piorar, ele pode se fechar". Ela às vezes parece mais distante, mas isso não é certo. Em seu diário, em 1953 ela escreve "a história muito verídica do raposo Heidegger", na qual descobrimos que esse animal supostamente astucioso ignora – de maneira completa, inimaginável – como são as armadilhas, a ponto de estabelecer seu terreno dentro de uma e convidar os amigos para visitá-lo. A ninfa, casada há muito tempo, continua travessa. E pouco severa.

Depois, vieram intervalos de silêncio, sobretudo entre 1954 e 1959. No fim, dez anos de suave declive, pontuados por trocas afetuosas: em 1966, Martin felicita Hannah pelo sexagésimo aniversário, ela parabeniza o filósofo, em 1969, pelos oitenta anos. Em 12 de agosto de 1975, última visita da "ninfa" ao terreiro-armadilha do raposo ("Fique, como sempre, para a ceia"). Em 4 de dezembro de 1975, Hannah Arendt morre. Pouco meses depois, em 26 de maio de 1976, Martin Heidegger se extingue por sua vez.

De Hannah Arendt, o que ler primeiro?

O sistema totalitário. Tradução de Roberto Raposo. Lisboa: Dom Quixote, 1978.

E depois?

Eichmann em Jerusalém – um relato sobre a banalidade do mal. Tradução de José Rubens Siqueira. São Paulo: Companhia das Letras, 1999.

O que é política? Tradução de Reinaldo Guarany. Rio de Janeiro: Bertrand Brasil, 2006.

Sobre Hannah Arendt, o que ler para ir mais longe?

YOUNG-BRUEHL, Elisabeth. *Hannah Arendt, por amor ao mundo*. Tradução de Antônio Trânsito. Rio de Janeiro: Relume-Dumará, 1997.

COURTINE-DENAMY, Sylvie. *Hannah Arendt*. Tradução de Ludovina Figueiredo. Lisboa: Instituto Piaget, 1999.

KRISTEVA, Julia. *O gênio feminino. A vida, a loucura, as palavras. Tomo I: Hannah Arendt*. Tradução de Eduardo Francisco Alves. Rio de Janeiro: Rocco, 2002.

☞ Com Hannah Arendt, as tormentas do século e as ruínas da política invadem a reflexão filosófica.

☞ Com Willard van Orman Quine, pelo contrário, os ruídos do mundo não parecem atingir o trabalho de elucidação das noções. Mas essa aparente frieza não impede resultados desconcertantes.

- **Nome: WILLARD VAN ORMAN QUINE**
- **Ambiente e meio**

A universidade americana do século XX, principalmente Harvard, entre teorias científicas e análises filosóficas.

- **7 datas**

1908 Nasce em Akron (Ohio).
1931-32 Depois de uma tese em matemática sob a orientação de Whitehead, em Harvard, viagem a Viena, onde conhece Carnap.
1936-1978 Professor em Harvard.
1951 Publica *Dois dogmas do empirismo*.
1960 Publica *Palavra e objeto*.
1969 Publica *Relatividade ontológica*.
2000 Morre em Boston.

- **Conceito de verdade**

A verdade, para Quine:
pertence exclusivamente ao campo do conhecimento científico,
é relativa aos sistemas linguísticos em que é formulada,
é independente da questão da significação.

- **Uma frase-chave**

"A filosofia da ciência é filosofia o bastante."

- **Posição ocupada no pensamento contemporâneo**

Apesar de dedicada a questões muito específicas, a obra de Quine começa a ser reconhecida, para além dos círculos de especialistas, como uma das mais decisivas do século XX.

Capítulo 9

Onde um certo Willard van Orman Quine inventa um coelho desconcertante

É provável que a grande maioria dos leitores descubra aqui o nome de Willard van Orman Quine pela primeira vez. Todos já ouviram falar de Bergson ou de Sartre, de Camus ou de Gandhi. Mesmo sem conhecer suas obras em detalhe, ou suas doutrinas em linhas gerais, ao menos os nomes são conhecidos. Não é o caso de Quine. Muitos leitores cultos talvez nunca tenham ouvido falar a respeito dele, e menos ainda de suas obras.

No entanto, muitos especialistas consideram Quine o filósofo americano mais importante do século. Devido a seu aporte pessoal ao pensamento, claro. Mas também, é preciso acrescentar, em função do lugar central que ele ocupa na transmissão de ideias no século XX. Ele se situa, de fato, na articulação entre dois mundos: o mundo da matemática e dos lógicos do início do século – Gottlob Frege, Bertrand Russell, Rudolf Carnap – e o mundo dos filósofos americanos mais recentes, dos quais vários prolongam sua obra, como por exemplo Donald Davidson.

Quine foi professor de filosofia, deu aulas quase a vida toda em Harvard. Tinha um diploma de matemática sob a orientação de Whitehead, o coautor dos *Principia Mathematica* ao lado de Russell. Na maturidade, se tornou orientador de tese de vários grandes filósofos americanos recentes. Quine é também uma articulação essencial entre o Círculo de Viena e a filosofia americana. O Círculo de Viena foi um grupo de pensadores – constituído principalmente por Rudolf Carnap, Otto Neurath e Moritz Schlick – que se reunia, a partir de 1924, todas as quintas-feiras à noite no Instituto de Matemática da Universidade de Viena. Seus membros proclamavam em alto e bom som a inanidade e a inutilidade de toda metafísica, e queriam promover uma concepção científica do mundo. Leitores apaixonados do *Tractatus logico-philosophicus* de Wittgenstein, havia pouco publicado (1921), esses pensadores estão na origem do que mais tarde foi chamado de filosofia analítica.

Acompanhar a ciência

Quine trabalhou com eles em Viena. Foi influenciado particularmente por Neurath e por Carnap e prolongou as análises dos dois após voltar aos Estados Unidos. Do ponto de vista deles, a filosofia devia se contentar em acompanhar a ciência e renunciar à pretensão de possuir um campo próprio ou de fundar a ciência. Neurath comparava a ciência a um barco continuamente em alto-mar: ele pode ser consertado durante a navegação, mas deve-se renunciar a reconstruí-lo em terra firme.

Essa função de acompanhamento ao conhecimento científico foi aprofundada por Quine – também em relação ao empirismo de William James e de John Dewey. Mesclando exemplos insólitos às demonstrações mais árduas, conjugando tecnicidade e causticidade, passando de artigos para especialistas a um dicionário filosófico de tom voltairiano (*Quiddities*, 1989), Quine é um pensador que vale a pena ser descoberto. Pois seu trabalho se quer ao mesmo tempo modesto nos métodos e ambicioso nas consequências.

Ele mesmo descreve seus objetivos: "A tarefa é tornar explícito o que foi considerado tácito e tornar preciso o que foi deixado vago; a tarefa é expor e resolver os paradoxos, aplainar as asperezas, fazer os vestígios dos períodos transitórios de crescimento desaparecerem, sanear as favelas ontológicas". Para ele, a filosofia faz parte integrante da abordagem científica – ela não tem um lugar à parte, não tem um âmbito reservado ou objetos particulares.

Quine está totalmente inserido, portanto, no grupo dos que querem ver a fusão da filosofia com a ciência, para os quais a filosofia nada mais é que uma ferramenta de elucidação dos conhecimentos exatos. Seu trabalho consiste essencialmente em deslindar confusões, desanuviar ideias esfumaçadas, livrar-se dos falsos conceitos. Em certo sentido, trata-se de um objetivo modesto: a resolução das "grandes questões" – metafísicas, éticas, políticas – não está em seu horizonte. Ela não cabe à ambição do filósofo tal como Quine o concebe.

Mesmo assim, tal objetivo é extremamente ambicioso, pois quer operar profundas limpezas, gigantescas desobstruções – para suprimir as "favelas ontológicas" formadas ao longo da história do pensamento... por assim dizer, uma imensa parte da filosofia! Para alcançar esse objetivo, o método de Quine emprega análises bastante áridas e técnicas, mas todas levam a uma considerável deflação das questões metafísicas e, por fim, a um ceticismo que lembra o de David Hume.

Quine publica sua principal obra, *Palavra e objeto*, em 1953. Alguns chegaram a dizer que o conjunto da filosofia analítica contemporânea se resume, a partir de então, ao debate entre aqueles que são "a favor" e os que são "contra" Quine. É um exagero falar assim, mas múltiplas discussões se cristalizaram em torno das duas principais descobertas de Quine, que concernem ao significado e à verdade.

Gavagai!

O questionamento da ideia de significado passa, em Quine, por uma longa e complexa análise da ideia de tradução. Apesar de ser muito difícil penetrar em seus meandros, o ponto de partida é simples de explicar. Quine imagina um explorador que precisa aprender uma língua indígena. Ele não conhece nada do idioma, e não existe nenhum dicionário ou gramática para ajudá-lo. Ele precisará aprender em campo, sozinho, o sentido das palavras.

Esse explorador está, portanto, na mesma situação da criança que aprende a falar a partir do que ouve a seu redor. Em geral, representamos esse aprendizado da seguinte maneira: existem núcleos de sentido, que basta colocar em relação com a palavra correspondente. Assim, quando vemos um coelho e ouvimos ao mesmo tempo a palavra "coelho", aprendemos como chamar o animal que temos diante dos olhos. Primeiro erro...

Quine denuncia nesse aprendizado ("um objeto, uma palavra") uma ilusão que evoca a teoria do museu: os significados seriam como obras, estatuetas e joias dentro de uma vitrine de museu, as palavras seriam como as etiquetas sob essas vitrines. Sob a estatueta do coelho, colocaríamos a etiqueta "coelho" em português, "lapin" em francês, "rabbit" em inglês e assim por diante.

Imaginemos, continua Quine, que nosso explorador siga os indígenas, que saíram para caçar na floresta. Ele os ouve gritar "Gavagai!" toda vez que um coelho passa. Ele pode simplesmente deduzir que, na língua deles, "gavagai" significa coelho? Não há como saber ao certo! De fato, nada impede de imaginar, num primeiro momento, que "gavagai" possa significar, por exemplo, "cuidado!", ou "olhe ali!" ou "não deixe fugir!" etc. Evidentemente, essas hipóteses podem ser objeto de uma triagem. Basta que sejam submetidas aos indígenas para que eles as validem ou não.

Mas ainda não chegamos ao fim de nossos problemas. Pois Quine imagina significados possíveis para "gavagai" que seriam, todos, validáveis pelos indígenas, apesar de não serem compatíveis uns com os outros. Por exemplo: "gavagai" poderia significar "parte não separada de um coelho" ou então "personificação da coelhitude" ou ainda "aqui está um ponto situado à esquerda do ponto onde, à direita, há um coelho". Cada uma dessas expressões pode ser validada como correspondendo de fato a "gavagai". No entanto, elas têm significados diferentes.

Qual a moral dessa história? Ela indica que "compreender uma frase é compreender uma linguagem" – ou seja, que não há tradução, nem mesmo tradutibilidade, de um termo para um único outro termo da língua à qual queremos traduzi-lo.

As línguas são *traduzíveis* umas às outras, mas *várias* traduções sempre são possíveis. Assim, é inútil imaginar a existência de um significado final e único do qual teríamos absoluta certeza.

As línguas são como grandes conjuntos que podem se correlacionar, deslizar uns sobre os outros, remeter uns aos outros. Mas elas não estão ligadas, termo a termo, de maneira permanente e fixa – não existe um significado único. Essa foi a primeira grande limpeza operada por Quine. Seguindo-a até o fim, a própria ideia de sentido é questionada. E isso é perturbador, pois estamos intuitivamente convencidos de que existe "alguma coisa" que pode ser alcançada pelo pensamento, que pode ser expressa numa língua e depois em outra.

Mais teorias que fatos

A outra "limpeza" segue uma abordagem análoga, com consequências mais espantosas ainda sobre o conjunto dos conhecimentos, o alcance das ciências e nossa relação fundamental com a verdade. Ele estabelece a existência de "uma subdeterminação das teorias pela experiência". O que designa essa máxima, obscura à primeira vista?

Quando uma teoria científica é estabelecida, ela cobre um certo campo da experiência. Ela corresponde, portanto, a certo número de fatos observados, estudados, classificados. Temos a convicção de que, se modificarmos os fatos, modificaremos a teoria. Imaginamos uma correspondência fixa entre as boas observações e a construção da boa teoria, como entre o significado e as palavras que o designam.

Quine estabelece, pelo contrário, de que modo, sobre uma coleção de fatos dados – experiências bem observadas e bem atestadas –, sempre é possível construir *várias* teorias. Se multiplicarmos as observações, se acrescentarmos fatos e experiências, teremos meios de explicar esses novos fatos em diversas teorias.

Em outras palavras, nunca há fatos *suficientemente* concludentes para que teorias contrárias sejam definitivamente afastadas. A separação entre elas nunca acontece de uma vez por todas. A consequência disso não é pequena: se Quine tiver razão, não podemos mais saber, somente com o ponto de vista científico, qual teoria é a certa, nem onde está a verdade "definitiva". Pior que isso: a própria ideia de uma verdade final precisa ser abandonada.

A rigorosa abordagem de Quine leva, portanto, a resultados desconcertantes, às vezes próximos do ceticismo mais clássico. Ele desfaz evidências como a do significado, de fato, e poderíamos quase concluir de seu trabalho que a verdade se torna inacessível para nós. Excetuadas as verdades parciais, regionais ou contextuais, a verdade, também ela, tem fortes chances de não passar de uma ilusão. Ainda assim, é preciso ter em mente que se trata apenas de um questionamento de um horizonte final de verdade – e não dos procedimentos por meio dos quais podemos estar certos ou não a respeito de uma dada questão.

Davidson segue seus passos

"Estar errado, isso existe em filosofia", escreve Donald Davidson (1917-2003), antes de acrescentar que é "importante saber se estamos certos ou errados". Não espanta saber, portanto, que esse filósofo, que tem uma obra original que se inscreve no rasto de Quine, corrige suas próprias afirmações após as críticas formuladas por outros, e até por ele mesmo. Quando uma argumentação o convence de ter deixado uma lacuna ou um ponto fraco num raciocínio, ele não hesita em modificá-lo.

Não se trata de algo novo na história: Sócrates agradecia a quem fosse capaz de livrá-lo de um erro. Uma virtude como essa, porém, caiu em desuso. Felizmente, ao longo do século XX, as preocupações lógicas da filosofia analítica deram nova vida ao estilo argumentativo, à prática detalhista da demonstração e da retificação. "Sei, agora, que essa hipótese foi um pouco apressada", afirma Davidson com sobriedade para retificar uma de suas análises.

Tanto para ele quanto para Quine, a tarefa do pensamento é, em primeiro lugar, esclarecer, com o máximo de nitidez possível, de que se está falando. Pois a maioria dos falsos problemas e dos mal-entendidos provêm de ilusões geradas por nossos usos linguísticos. A partir disso, o que importa são os argumentos, e apenas eles. Quer se trate de estabelecer a verdade de suas teses, ou de refutar os raciocínios falaciosos de seus adversários, esses autores, conforme as regras da tradição analítica, recorrem a um rigor comparável ao dos matemáticos.

No entanto, não foi pela matemática que Davidson chegou à filosofia. Ele começou defendendo uma tese, nos anos 1940, sobre o *Filebo* de Platão. Depois, voltou-se para a psicologia experimental, em especial para o estudo da tomada de decisão. A orientação definitiva de seu trabalho filosófico, a partir dos anos 1960, resultou de seu encontro com Quine, cujas orientações ele prolongou e modificou.

A singularidade de Davidson, no campo da filosofia da linguagem, foi ter fundado uma teoria do significado sobre uma teoria da verdade. Partindo exclusivamente disso, ele tentou elucidar a noção de sentido e os processos de interpretação dos enunciados. As análises são árduas, mas o objetivo pode ser enunciado com clareza: "Queremos uma teoria que seja simples e clara, que seja dotada de um dispositivo lógico que possa ser compreendido e justificado, e que explique os fatos do funcionamento de nossa linguagem [...]. Essas questões são, não tenho dúvida, as velhas questões da metafísica, mas com novas roupagens".

Por isso, quaisquer que sejam as noções abordadas – intenção, vontade, livre arbítrio, acontecimento, referência, metáfora... –, Davidson persegue uma defesa e uma ilustração da racionalidade que espanta pela distância em relação às correntes dominantes da época. Ele restaura a ideia de causa onde não se esperava mais, devolve à verdade seu lugar fundador, recusa separar o espírito da matéria, mas também de reduzi-lo a ela. Ele explora a linguagem sem esquecer o que a supera. Com a estatura de um clássico.

De Quine, o que ler primeiro?

Quiddities: An Intermittently Philosophical Dictionary. Cambridge: Harvard, 1989.

E depois?

Pursuit of Truth. Cambridge: Harvard, 1990.

Palavra e objeto. Tradução de Desiderio Murcho e Sofia I.A. Stein. Petrópolis, RJ: Vozes, 2010.

Sobre Quine, o que ler para ir mais longe?

ROSSI, Jean-Gérard. *Le Vocabulaire de Quine*. Paris: Ellipses, 2001.

GOCHET, Paul. *Quine en perspective*. Paris: Flammarion, 1992.

RIVENC, François. *Lecture de Quine*. Londres: College Publications, 2008.

Quarta parte

A LIBERDADE E O ABSURDO

Ano após ano, o século XX descobre a desintegração do sentido. Ela nada tem a ver com os impasses da lógica ou com as perplexidades dos cientistas. Guerras industrializadas, cadáveres aos milhões, ditaduras assassinas e destruições em massa impõem a seguinte constatação: o mundo é insensato, a civilização não leva a nada, as esperanças mais generosas geram os piores cataclismos.

Os elementos do quebra-cabeça infernal são conhecidos: derrocada suicida da Europa nas carnificinas da Grande Guerra, mecanização generalizada da sociedade, ascensão dos movimentos radicais e dos projetos de revolução, advento das comunicações de massa, desumanização regular das relações individuais e coletivas.

Em pouco tempo, séculos, ou milênios, de ordem humana desabam – a ordem em que se podia imaginar que o saber suavizava os costumes e que os diversos progressos marchavam no mesmo passo. Mais sábia, a humanidade se tornaria mais sensata. Mais potente, ela se tornaria mais feliz, mais justa, mais livre. Era nisso que se acreditava, intensamente.

Tudo se viu subitamente mergulhado no sangue e na lama, na barbárie e no caos. Mesmo sem entender a extensão e a intensidade da crise, os contemporâneos tinham a sensação de que tudo se tornava vão. O céu estava vazio, o homem era mau e o real, assustador.

Curiosamente, os filósofos pouco se preocuparam com essa devastação. Eles muitas vezes pareciam se esforçar em fazer como se o mundo não existisse. O planeta foi devastado, mas os comentaristas de Aristóteles seguiam seu curso. As pessoas eram deportadas, assassinadas e torturadas – em nome do bem, do homem novo, da raça ou de um futuro melhor –, mas os filósofos se perguntavam como a matemática podia corresponder com tanta exatidão ao real...

Essa redoma, porém, não encobria todos os mestres do pensamento. Vários começaram a se voltar para as tormentas do século. Da maneira que podiam, eles se esforçaram para compreender seus contragolpes. A reflexão a respeito da liberdade voltou ao primeiro plano, no exato momento em que ela parecia aniquilada. Num mundo fraturado, mudo ou dissonante, o indivíduo – em sua fragilidade e sua soberania, ambas irrisórias mas impossíveis de suprimir – parecia de novo ser o centro de onde era preciso partir.

Não foi por acaso que os três pensadores com que vamos nos deparar, apesar de profundas diferenças, tiveram em comum o fato de centrarem suas reflexões no senso e no contrassenso, na contingência e na liberdade, na ação e no absurdo. Combates comuns os aproximavam, outros os faziam divergir. Eles se conheceram, se aliaram e se desentenderam baseados numa mesma angústia, mas em razão de trajetórias específicas.

Introdução

Jean-Paul Sartre tentou por todos os meios salvar o pensamento a respeito da liberdade integral. A seus olhos, somente a decisão soberana do indivíduo era fonte de sentido e valores. Num mundo em rebuliço, esse desafio foi difícil de vencer – principalmente porque se trata, para Sartre, de pensar a liberdade, a moral e a construção da história por meio da ação coletiva e, ao mesmo tempo, engajar-se ao lado dos comunistas no pós-guerra e, depois, ao lado dos maoístas de Maio de 1968.

Maurice Merleau-Ponty, colega de Sartre na École Normale da Rue d'Ulm e, mais tarde, fundador a seu lado da revista *Les Temps Modernes*, também foi dos primeiros a denunciar a existência do Gulag, a recusar caucionar o totalitarismo em nome da liberdade. A divergência com Sartre nasceu dessas questões políticas, mas também foi mais profunda. Pois foi na articulação da consciência com o corpo, da carne com o mundo, do visível com o invisível que Merleau-Ponty desenvolveu uma filosofia voluntariamente colocada sob o signo da ambiguidade, longe da transparência postulada por Sartre.

Albert Camus, por sua vez, se recusava explicitamente a se proclamar filósofo. Romancista e jornalista, ele propunha em seus ensaios, como *O homem revoltado* (1951), interrogações fundamentais para se pensar o século XX, e também o século XXI. Porque para Camus o essencial residia na reconstrução do sentido e no esforço de perseverar em viver – em esperar, em agir – num mundo que se revelara absurdo. O que ainda é muito atual.

- **Nome: JEAN-PAUL SARTRE**
- **Ambiente e meio**

Da École Normale Supérieure da Rue d'Ulm ao café Deux Magots, o universo de Sartre se abre num perímetro estreito, entre o Quartier Latin e Saint-Germain-des-Prés, mas ele faz soprar um vento de liberdade que fala ao mundo inteiro.

- **10 datas**

1905 Nasce em Paris.
1924-1927 Aluno na École Normale Supérieure.
1933-34 Bolsista no Instituto Francês de Berlim.
1938 Publica *A náusea*, romance filosófico.
1943 Publica *O ser e o nada*.
1945 Cria a revista *Les Temps Modernes*, com Simone de Beauvoir e Maurice Merleau-Ponty.
1960 Publica *Crítica da razão dialética*.
1971-72 Publica *O idiota da família* (sobre Flaubert).
1975 Entrevistas com Benny Lévy.
1980 Morre em Paris.

- **Conceito de verdade**

A verdade, para Sartre:
é uma criação da subjetividade,
depende, no fim das contas, apenas da liberdade de cada um,
se transforma na ação coletiva, política e social.

- **Uma frase-chave**

"Decidimos sozinhos e sem desculpas."

- **Posição ocupada no pensamento contemporâneo**

Considerável nos anos 1950, a influência de Sartre foi em parte ofuscada pelo estruturalismo, mas é foco de novos interesses a partir de fins do século XX.

Capítulo 10

Onde Jean-Paul Sartre quer decidir sobre tudo e não consegue

Sartre, mestre do pensamento? Essa evidência parece se impor. Ele personificou, sem dúvida mais que qualquer outro, o filósofo que é ouvido e imitado. Sua influência, sua notoriedade, na Europa e no mundo inteiro, superaram, por certo tempo, tudo o que se havia visto antes. Porque ele personificou a liberdade mais pura, o sentido da revolta, a escolha pelo engajamento. Mas também porque conjugou grossos volumes de análises filosóficas com romances, artigos de jornais, peças de teatro e tomadas de posição públicas. Seu público enquanto escritor o transformou em ícone. Sob esse ponto de vista, Sartre parece constituir o modelo de "mestre do pensamento" contemporâneo.

No entanto, não há nada mais paradoxal do que atribuir-lhe esse papel. Pois trata-se de um mestre que não dá, não ordena e não aconselha. Ele não pode e não quer dizer "o que pensar" ou "como agir". Não por alguma incapacidade ou recusa. Mas em razão de sua postura filosófica mais profunda: remeter cada um à própria liberdade. Acima de tudo, Sartre almeja devolver cada consciência à própria responsabilidade fundadora. Se alguém lhe perguntasse "o que fazer?" ou "de que modo pensar?", esse mestre paradoxal diria: "Você que decide, e só você pode responder".

No fim das contas, sua filosofia substitui a questão da verdade pela da autenticidade. Pois, de uma maneira ou de outra, uma verdade sempre é limitadora. Lógica ou factual, metafísica ou moral, científica ou política, a chamada "verdade" existe fora de mim. Ela se impõe como uma realidade que não foi forjada por mim. Diante dela, devo me submeter ou me retirar.

Para Sartre, porém, sempre tenho escolha. É minha livre decisão, e somente ela, que consente ou recusa, aceita ou combate. O sentido que dou às realidades que encontro só depende, em última instância, de mim. O acaso pode fazer, por exemplo, com que eu adoeça ou com que uma guerra ecloda. Não controlo o curso do mundo. Mas decido "sozinho e sem desculpas" o sentido que dou ao mundo, à minha vida, a cada um de seus episódios e gestos. De mim depende a maneira como vou atravessar uma doença ou uma guerra.

A liberdade do sujeito é soberana. O filósofo não desconhece as dificuldades ou os limites dessa radicalidade – de certo modo, sua obra como um todo não cessa de analisá-los. Mas o projeto fundador, o impulso inicial de seu pensamento, consiste em restabelecer a soberania da livre escolha de todos os homens em sua dimensão mais absoluta. Num século em que tudo se combina para negar essa força de escolha e para extinguir a própria ideia de um poder de decisão, uma filosofia da liberdade como essa não deixa de chamar a atenção.

Mas ela não é desprovida de dificuldades. Pois nenhum sujeito humano vive sozinho. Ninguém é soberano. Se há moral, é porque os valores persistem independentemente das decisões de cada um. Se há política, é em razão da dimensão coletiva das escolhas individuais. O filósofo não ignora isso. Mas, para avançar nesse terreno, ele precisa de tempo e experimentações. Partindo da consciência e da liberdade, ele abordará a moral, a política e a história num segundo momento.

Consciência e nada

O pensamento de Sartre faz parte das filosofias da consciência. Na esteira de Descartes, ele prioriza o sujeito pensante. Depois de alguns anos como professor, Sartre vai para Berlim, onde lê e descobre a fenomenologia de Husserl. A noção de intencionalidade é a que mais lhe interessa. Inspirado nela, ele elabora uma filosofia da consciência distinta da fenomenologia de Husserl, insistindo numa espécie de abertura completa da consciência.

A consciência não é um meio fechado, um receptáculo, uma caixa de dentro da qual olhamos para o mundo. Sartre retém de Husserl que "toda consciência é consciência de". Conhecer, ele insiste, é "estourar para" (essa árvore ou esse copo d'água). A consciência é como um turbilhão, um grande vento. Ela é sempre uma abertura – às coisas, ao mundo, aos acontecimentos, aos encontros. Desde os primeiros escritos, Sartre enfatiza essa abertura. Mas ele quer seguir nesse sentido, mais longe que Husserl.

A seus olhos, a consciência não deve se fechar em um "eu". Sartre critica Husserl por não ter posto "entre parênteses" o próprio "eu". Ele desenvolve essa análise em seu primeiro livro publicado, *A transcendência do ego*, e continua o mesmo movimento com suas obras sobre a imagem, a imaginação e o imaginário. Pois a particularidade da imagem, para Sartre, é o fato de ser dependente da própria consciência. Quando imagino, não recebo uma percepção do objeto, pelo contrário, eu forjo a imagem em minha consciência e por meio dela. Sob essa perspectiva, a imagem constitui o signo de um vazio do objeto. O objeto real precisa ser "extinto" para que uma imagem seja formada por minha consciência. Essa dimensão do nada é um traço essencial do pensamento filosófico de Sartre. A consciência, a seus olhos, mantém uma relação profunda com as questões do nada, da ausência e da falta. A consciência, diz ele, "é o que ela não é e não é o que ela é". Pois os seres humanos têm uma relação particular com a falta e a ausência. Entro num café e pergunto: "Paul está?". Essa pergunta supõe que percebo esse lugar como estando vazio desse amigo que procuro. Se, olhando para o café, constato que Paul não está, é porque estou em medida de expressar a ausência, de perceber o fato de que aquele que procuro não está presente.

O que interessa a Sartre, aqui, é o que ele chama de poder nadificante da consciência: perceber as ausências, detectar a falta, falar do que não está, evocar o passado que não é mais ou antecipar o futuro que ainda não é. O que caracteriza a consciência é um oco, um vazio. As coisas mantêm sua plenitude, sua total densidade. Elas estão "em si", como diz o filósofo em *O ser e o nada*. A consciência, em contrapartida é um "para si", ela experimenta a si própria, mas ao modo de uma perpétua ausência de natureza, de qualidade, de positividade.

As coisas têm qualidades fixas, propriedade naturais. A característica do humano é não ter natureza, estar constantemente se inventando. Esse nada deve sempre ser temporariamente transformado por um sentido, uma decisão, um ato. Eis, em suma, no que consiste, para Sartre, a liberdade.

Liberdade: o fato de que precisamos constantemente nos inventar, dar sentido às situações que vivemos, estabelecer a direção de nossos atos. Nunca temos uma verdade prévia à qual apelar: nada se impõe à minha liberdade. Uma lei só é limitadora quando escolho me submeter a ela. Quando obedeço a uma lei divina, a uma palavra revelada, é de novo porque decido considerá-las divinas e reveladas. É sempre minha liberdade, e somente ela, que está na base dos significados e das interpretações.

Essa liberdade integral também leva a uma responsabilidade total: não posso me esconder atrás de nada, não posso me esquivar de minha responsabilidade – ela é total – no sentido que dou ao mundo, à minha vida e a meus gestos. Essa responsabilidade integral tem algo de esmagador, de insuportável. Ela parece tão desproporcional em relação a nossas forças que fazemos de tudo para negá-la e fugir.

Em *O ser e o nada*, bem como em parte de seu teatro, Sartre insiste na ideia de que fazemos de tudo para fugir à nossa liberdade. Nós nos transformamos em coisa: dizemos "não é culpa minha", "é assim que sou", e não "é assim que decidi ser". Essa "má-fé" é uma das principais táticas que cada um adota para não assumir sua liberdade. Desempenhamos papéis, a fim de nos fazermos passar por outra pessoa, para nos iludirmos sobre nossa natureza, nosso destino, sobre o fato "de que não podemos fazer de outro modo". Quando dizemos "é mais forte que eu" ou "eu sou assim, não posso fazer nada", estamos, aos olhos de Sartre, na atitude do "canalha", aquele que nega sua responsabilidade, se considera preso a uma natureza ou a um destino sem poder escapar.

A principal dificuldade não reside na má-fé – na consciência que nega sua liberdade –, mas no olhar dos outros. Eles interpretam de maneira às vezes totalmente errônea meus atos e minhas decisões. O drama da existência humana é que o olhar dos outros nos revela a nós mesmos e nos deforma. Ele trai, transforma, desvia nossa liberdade.

Esse drama é inelutável, porque a existência humana é necessariamente coletiva: o viver é sempre viver-junto. Nessa coexistência das liberdades, como conseguir pensar numa moral? Como compreender a história, as ações coletivas, o curso dos acontecimentos? Essas são as duas grandes perguntas que permeiam sua obra.

Que moral?

Se o céu está vazio, se nenhuma regra revelada se impõe, como escapar ao arbitrário do crime? Dostoiévski insiste: "Se Deus não existisse tudo estaria permitido". Sartre cita várias vezes essa máxima, mas modifica sua perspectiva: Deus, de fato, não existe, portanto tudo não está permitido. Um céu mudo não implica que minha liberdade desemboque na barbárie. Por quê? E como? Em nome de que, e sob que forma, uma moral pode ser possível?

Essas perguntas obcecaram Sartre, em todos os registros de sua atividade – filósofo, romancista, militante, dramaturgo. De *A náusea* (1938) até a *Crítica da razão dialética* (1958-1960), de *Saint Genet* (1952) a *O idiota da família, Flaubert de 1821 a 1857* (1971-1972), encontramos, em contextos dissemelhantes, uma mesma série de preocupações: como uma liberdade pode agir no mundo, inscrever-se na história, unir-se a outras, perder-se em mal-entendidos, recompor-se e inventar-se sempre, enquanto age?

Sartre girou em torno desse encadeamento de problemas, sem chegar a encontrar uma resposta satisfatória. Em 1943, *O ser e o nada* chega ao fim com o anúncio da obra seguinte: uma moral.

Esse texto anunciado nunca viu o dia. Sartre escreveu seiscentas páginas de rascunhos, em 1947 e 1948, antes de abandoná-los. Esses *Cadernos para uma moral*, editados em 1984, postumamente, revelam tanto a amplidão de sua tentativa quanto a de seu fracasso.

O impasse pode ser explicado pelo número de dificuldades e limitações reunidas. Desfazendo-se de toda lei divina, Sartre também se livrou das morais filosóficas fundadas numa "ordem divina" do mundo, de Platão aos estoicos, ou de Descartes a Spinoza. Recusando qualquer ideia de "natureza humana", ele também se proibiu recorrer às morais sem Deus, que, de Holbach a Rousseau ou Stuart Mill, repousam nessa suposta natureza. Por fim, querendo levar em conta a história concreta e cambiante, recusando reduzir a liberdade a uma abstração, declarando que "só existe moral em situação", ele não pode aderir ao formalismo de Kant e à ideia de que toda ação deve ser regulada por uma máxima universal.

A reflexão dos *Cadernos para uma moral* está centrada nas relações entre minha liberdade e a do outro, e na inscrição delas na ação histórica. Sartre afasta o caso em que minha liberdade seria infinita e a do outro, nula (a violência pura) e o caso, simétrico e inverso, em que minha liberdade seria nula e a do outro (Deus, soberano ou senhor), infinita. Somente o que ele nomeia de "chamado" indica uma realidade a ser construída de forma conjunta. Se proponho ao outro empreender comigo uma ação específica (impedir que a guerra ecloda), reconheço nossa fragilidade e finitude comuns. Também corro o risco de sua recusa. Quanto à ação, ela será nossa e não minha, numa reciprocidade concreta.

A "conversão", a que Sartre dedica o fim dos *Cadernos*, é uma noção essencial. Ela consiste em querer o mundo, e não os valores. Se subordino minha ação a um objetivo externo (fazer o bem, não mentir, ser corajoso), já estou alienado: eu me transformo em meio para realizar esse valor universal. A liberdade, ao contrário, só existe sendo feita. Ela descobre a si mesma por meio de suas obras, e ela assume o mundo, mesmo (e principalmente) quando ele lhe escapa. Eu fazia tudo para evitar a guerra, mas "se ela eclode devo vivê-la como se tivesse sido eu que a tivesse decidido". Ou melhor: vou considerar essa guerra (mesmo que eu continue a lutar contra ela, arriscando-me a morrer) como "uma chance de desvelamento do mundo". Essa é a "conversão" com que Sartre sonha à época. Como qualquer pensamento de envergadura, ele é atravessado pela preocupação com a alegria.

Essa aceitação total, porém, está nos antípodas da resignação: é por mim que o mundo vem a ser. Assim, "na humildade da finitude" encontro "o êxtase da criação divina". É sob essa ótica que é preciso compreender a fórmula, que pode parecer inesperada sob a pluma de Sartre: "A ausência de Deus é mais divina que Deus". Perdendo-me sem reservas na ação e nos outros, amando esse dom, tenho alguma chance de receber, mais ainda que minha identidade retrospectiva, um ponto de vista singular descobrindo-me absoluto. Mais tarde, Sartre julgará essa concepção "mistificada" e incapaz de pensar moral e história conjuntamente.

No entanto, podemos encontrar uma continuidade surpreendente entre essa moral, avistada e depois abandonada, e o interesse final de Sartre pelo messianismo judaico, testemunhado pelas entrevistas com Benny Lévy. Sua moral política aparece, então, sob uma nova luz. Ele retorna de maneira crítica às análises desenvolvidas em *Crítica da razão dialética*. Antes de falar sobre essa última mudança, é preciso mencionar alguns elementos da obra.

Jean-Paul Sartre

Que história?

Nesse livro de 1960, Sartre se debruça sobre as modalidades da ação coletiva e sobre o estatuto dos acontecimentos históricos. Os indivíduos decidem sozinhos; na medida de suas liberdades, eles deliberam soberanamente sobre a ação a empreender. Mas a colisão entre suas vontades múltiplas, as coalizões entre seus projetos, desenham alguma coisa que não foi desejada por ninguém. Sartre se esforça para pensar essa viscosidade da história, num primeiro momento, à luz do marxismo. Não devemos esquecer que, a partir dos anos 1950, o filósofo se tornou "companheiro de estrada" do Partido Comunista. Ele considera que "o marxismo é o horizonte insuperável de nosso tempo".

Ao mesmo tempo, Sartre critica a ideia de que as leis da história se impõem às decisões dos indivíduos. Ele nega que a causalidade econômica determine o comportamento dos homens como a causalidade física que se exerce sobre as coisas. Ele afasta essa concepção, mas precisa evidentemente compreender como o peso da história e a densidade dos acontecimentos podem fazer com que atos livremente decididos se voltem contra aqueles que os iniciaram.

Em *Crítica da razão dialética*, a noção de "prático-inerte" pretende explicar essa sedimentação das ações humanas. Por exemplo: para melhorar as colheitas, enriquecendo-as com cinzas de madeira, os camponeses da Ásia desmatam os campos. Desmatando, eles suprimem o que mantinha a água das chuvas nas colinas. As inundações têm então o efeito inverso do almejado. Há uma espécie de relação de vaivém entre os atos e suas consequências.

Refletindo sobre a maneira como os atos individuais se inscrevem em séries, Sartre tenta explicar a espessura da realidade histórica. No momento dos grandes acontecimentos – revoluções, rupturas da história – surgem "grupos em fusão" – como o povo de Paris destruindo a Bastilha em 14 de julho. Esses momentos de levante marcam a emergência de uma liberdade coletiva, que por sua vez cai no prático-inerte.

Ao longo de toda a vida, Sartre conduziu uma reflexão multiforme sobre o indivíduo e o coletivo, sobre a consciência e o político, sobre a literatura e a ação militante. Mesmo que lhe tenha acontecido de se enganar, de tomar posições insensatas, por excesso de esquerdismo e espírito revolucionário, ele não deixou de ser, com suas tiradas de gênio e com seus defeitos, uma grande figura do século XX. Mais interessante ainda porque sua trajetória, até o fim, nunca se imobilizou. Não há nada de dogmático ou de crispado no movimento de seu pensamento. Até o último sopro ele reinventou a própria reflexão, aberto a todas as perspectivas. Ele assumiu o risco de precisar anular esta ou aquela fração de sua obra. Nisso também nunca lhe faltou atitude.

As últimas conversas

É preciso imaginar o grande homem no fim da vida, cansado, doente, mais desgastado pela intensidade de sua trajetória do que pelo peso dos anos. Sartre tinha apenas setenta anos quando começou a ser entrevistado por Benny Lévy. Ele tinha se tornado o que sonhara ser na juventude: "Victor Hugo" – um gênio múltiplo, capaz de tudo, impossível de encerrar num único compartimento. Ele tinha estado em todas as frentes, praticado todos os gêneros, conhecido todos os sucessos.

Poderíamos esperar que desempenhasse seu próprio papel, que alimentasse o mito, que se acantonasse em seus saberes. Mas não era seu estilo. O velho Sartre aceitou retomar suas obras, reexaminar decisões teóricas fundamentais – como se só fosse fiel a si mesmo colocando-se radicalmente em causa.

O homem que o incita a essa viagem tem apenas trinta anos. Sartre foi sua "primeira grande iluminação filosófica". Eles se conheceram em 1970, no La Coupole, em Montparnasse: Sartre aceitaria se tornar o diretor do jornal maoísta *La Cause du peuple*? Os diretores anteriores tinham sido presos – mas o poder não correria o risco de enviar Sartre para a prisão... Entre o revolucionário e o filósofo houve uma espécie de paixão intelectual à primeira vista. Seguiu-se um estranho "diálogo de amor" que durou quase sete anos. Ao longo desse tempo, o revolucionário, Pierre Victor, que havia dirigido a *Gauche prolétarienne*, assumiu seu verdadeiro nome e voltou ao judaísmo: Benny Lévy logo se tornaria uma figura maior na renovação do pensamento judeu contemporâneo.

Com o distanciamento, parece evidente que um episódio importante da vida das ideias se desenrolou durante essas conversas. A maior parte ainda está para ser descoberta, pois a íntegra das gravações continua indisponível. Mas no que foi publicado, em fragmentos, percebe-se um vasto campo. Sartre volta em especial à análise da constituição dos grupos, questão central da *Crítica da razão dialética*, decisiva para compreender a relação entre indivíduo e coletividade e acontecimento revolucionário.

Sartre modifica algumas de suas escolhas filosóficas principais, em particular a questão do outro e a teoria do olhar. Ele reexamina a questão da contingência, a ausência de necessidade que marca qualquer existência. Roquentin, o herói de seu primeiro romance, *A náusea*, afirma que "todo ente nasce sem razão, prolonga-se por fraqueza e morre por acaso". Segundo as notas de Benny Lévy de 9 de dezembro de 1978, Sartre julgava que tinha sempre se esquivado do seguinte problema inaugural: "A contingência, nem sob a forma literária, nem sob a forma filosófica, manteve o lugar essencial que eu queria lhe dar". Quase tudo precisa ser repensado!

O diálogo também se baseia em suas leituras recentes, que abordam a Revolução Francesa, o Primeiro Império ou os cátaros, quando a reflexão comum cruza com a questão da gnose. Ensaios que acabavam de ser publicados, como *O anjo*, de Christian Jambet e Guy Lardreau (1976), ou o livro de André Glucksmann, *A cozinheira e o comedor de homens* (1975), foram discutidos. A cada vez, eles fazem o pensamento de Sartre ser lançado em novas direções.

É normal que um pensador da liberdade pense livremente, a ponto de não ser limitado por si mesmo, seus escritos ou sua imagem. Pode ser normal, mas não deixa de ser raríssimo. Nesse ponto, sempre é preciso saudar Sartre.

De Sartre, o que ler primeiro?

Um texto relativamente simples e bastante conhecido é a conferência proferida por Sartre em 1945, *O existencialismo é um humanismo* (Tradução de João Batista Kreuch. Petrópolis, RJ: Vozes, 2012).

E depois?

As palavras. Tradução de J. Guinsburg. Rio de Janeiro: Nova Fronteira, 2005.

Que é a literatura? Tradução de Carlos Felipe Moisés. São Paulo: Ática, 1993.

Depois, o grande volume de *O ser e o nada*. Tradução de Paulo Perdigão. Petrópolis: Vozes, 2005.

Sobre Sartre, o que ler para ir mais longe?

COHEN-SOLAL, Annie. *Sartre – uma biografia*. Tradução de Milton Persson. Porto Alegre: L&PM, 1986.

LÉVY, Bernard-Henri. *O século de Sartre*. Tradução de Jorge Bastos. Rio de Janeiro: Nova Fronteira, 2001.

☞ *Sartre privilegia a consciência, a liberdade, a ação e a transparência.*

> ☞ *Merleau-Ponty procura, por outro lado, pensar as ambiguidades das relações entre corpo e espírito, liberdade e história, visível e invisível.*

- **Nome: MAURICE MERLEAU-PONTY**
- **Ambiente e meio**

Nos mesmos ambientes que Sartre – de quem foi colega e amigo –, seguiu seu próprio caminho, acadêmico e independente, recusando-se especialmente a caucionar o totalitarismo stalinista.

- **10 datas**

1908 Nasce em Rochefort-sur-Mer.
1926-1930 Aluno na École Normale Supérieure.
1945 Defende tese com duas obras fundamentais, *A estrutura do comportamento* e *Fenomenologia da percepção*.
1949 Professor na Sorbonne.
1952 Eleito professor no Collège de France.
1953 Deixa a revista *Les Temps Modernes*, fundada com Sartre em 1945.
1955 Publica *As aventuras da dialética*.
1960 Publica *O olho e o espírito*.
1961 Morre em Paris.
1964 Publicação póstuma de *O visível e o invisível*, por Claude Lefort.

- **Conceito de verdade**

A verdade, para Merleau-Ponty:
está no ir e vir entre as disciplinas,
se situa no cruzamento das ideias e sensações, do eu e do mundo,
não pode, politicamente, ser sacrificada às estratégias.

- **Uma frase-chave**

"Tudo o que sei a respeito do mundo, mesmo pela ciência, eu o sei a partir de uma visão minha e de uma experiência de mundo sem a qual os símbolos da ciência não significariam nada."

- **Posição ocupada no pensamento contemporâneo**

Relativamente discreta, em razão de sua morte precoce e da dificuldade de algumas de suas obras, a influência de seu pensamento persiste e desperta novos interesses.

Capítulo 11
ONDE MERLEAU-PONTY DESCOBRE QUE A VERDADE NÃO É TOTALMENTE VISÍVEL

Maurice Merleau-Ponty não é um desconhecido. Seu nome figura entre os grandes filósofos do século XX. Mais de cem anos após seu nascimento (em 1908, em Rochefort-sur-Marne), mais de meio século após sua morte (de ataque cardíaco, em seu gabinete em Paris, em 3 de maio de 1962), sua obra continua a ser lida, comentada, prolongada – no mundo inteiro – por admiradores exigentes. No entanto, comparado a Sartre – de quem foi colega na Rue d'Ulm, e amigo por muito tempo, antes das diferenças políticas e do rompimento –, Merleau-Ponty pode parecer pouco reconhecido. Ao lado de Camus, o outro grande contemporâneo, engajado como ele na crítica ao stalinismo e como ele morto em plena maturidade, ele parece pouco apreciado.

Será porque foi apenas filósofo, sem ter sido, como Sartre e Camus, romancista e dramaturgo? Uma espécie de reserva o teria afastado dos holofotes? A posteridade, desencorajada por algumas páginas áridas de *A estrutura do comportamento* (1942) ou pela *Fenomenologia da percepção* (1945), terá ignorado a limpidez e a profundidade dos pensamentos e da escrita de *Signos* (1960) ou de *O visível e o invisível* (póstumo, 1964)? Os meandros da notoriedade são opacos, sem dúvida. Seja como for, Merleau-Ponty não é um mestre do pensamento como os outros – ícones ou estrelas. Ele é, em primeiro lugar, alguém que desbrava os caminhos da reflexão.

Apesar da complexidade de certas análises, esses caminhos são simples. Merleau-Ponty parece desprovido de tormentos assustadores ou de falhas abissais. Ele afirma com clareza, em entrevistas a Georges Chabonnier na rádio, em 1959: "Alguns se tornam filósofos porque estão cheios de conflitos, porque encontram tendências contraditórias dentro de si. Eles precisam agir sobre essas tendências ou escolher entre elas. Não é meu caso. Concebo a filosofia não como um drama [...] mas como uma coisa bastante aparentada, em suma, com a arte, ou seja, como uma tentativa de expressão rigorosa de transformar em palavras o que em geral não é colocado em palavras, o que algumas vezes é considerado da ordem do inexprimível. Esse é o tipo de interesse que a filosofia desperta em mim, de imediato".

Isso não impediu o filósofo de lutar contra um século de ferro, em que se conjugaram guerras, totalitarismos, decadência humana. Ainda assim, seu combate se preocupou em manter aberta a relação com seus semelhantes: "O que define o filósofo", ele diz na mesma entrevista, "é sempre a ideia de que podemos compreender o outro, que podemos compreender o adversário. A filosofia não seria o que é se não houvesse nos filósofos essa intenção, não apenas de apresentar mas de compreender o que eles não são, e de compreender, se necessário, o que os contradiz".

Elogio da ambiguidade

Depois da Rue d'Ulm, onde nasceu sua amizade com Sartre e Beauvoir, sua carreira de professor passou pelo liceu de

Saint-Quentin, pela Universidade de Lyon e pela Sorbonne, encerrando-se no Collège de France, para o qual foi eleito em 1952. Sua aula inaugural, em 15 de janeiro de 1953, definiu a filosofia pela conjugação de dois traços maiores: "gosto pela evidência" e "senso de ambiguidade". É a ele mesmo, claro, que cabem esses dois traços. Ele sempre fundamenta as reflexões no vivido mais imediato e aparentemente mais simples (consciência, percepção, visibilidade, palavra). Atento às lições das ciências – da neurologia à linguística –, ele recusa, porém, qualquer tipo de reducionismo. Privilegiando a consciência, o sentido, os signos, ele desconfia do idealismo e da transparência. O que ele chama de ambiguidade é o inverso do unilateral: a atenção às duplas faces, ida e volta constante entre corpo e consciência, matéria e espírito, visível e invisível.

Essa mesma atenção às duplas faces se aplica à política e à história. Nas entrevistas radiofônicas de 1959, Merleau-Ponty a expressa com perfeita clareza: "Sou, enquanto filósofo, contra as ideias vazias, contra os objetos puramente ideais. E também contra uma matéria que seja apenas coisa. Do mesmo modo, em política, odeio o liberalismo verbal sem relação com a realidade humana, concreta. E sou contra o terror, que transforma o homem em coisa".

Merleau-Ponty reabilita a noção de ambiguidade. Em geral, ela não atrai. É suspeita de ter um lado dissimulado. Algo de pouco nítido, uma indecisão. Contornos borrados, arestas esfumaçadas. Uma ausência de forma delimitada. Uma tendência a esquivar, de certo modo. Um passo a mais e a ambiguidade se torna ameaçadora, desonesta ou covarde. Não espanta que não atraia multidões. A maioria das pessoas prefere posições claras. Antes afirmações categóricas que alusões duvidosas e silêncios equívocos. No entanto, será tão simples assim?

Não poderíamos fazer o elogio da ambiguidade, apreciar esse termo, enfatizar a necessidade de levar em conta as duplas faces da realidade? Em vez de pensar por exclusão, por contrários incompatíveis, esse pensamento tenta se colocar no ponto de união entre corpo e alma, por exemplo, entre visível e invisível, entre ciência e filosofia. O espaço da conjugação, da dupla face, é aquele em que se inscreve a obra de Maurice Merleau-Ponty.

Essa preocupação se manifesta, a princípio, por meio de uma atenção ao corpo, à consciência localizada e concreta. Merleau-Ponty nunca pensa, ao contrário de Sartre, que a consciência é transparente a si mesma. Ele se dedica a compreender a mistura de claro e escuro de que é feita a vida, em sua dupla vertente fisiológica e psicológica. Observamos isso, em 1942, em *A estrutura do comportamento*, e em 1945 com a *Fenomenologia da percepção*. Ele explora a inclusão do homem na natureza, a encarnação do espírito, a carne do pensamento. O esforço de Merleau-Ponty consiste em estudar o pertencimento paradoxal do ser humano ao solo terrestre do qual ele descola sem se desprender: "É dentro do mundo que percebo o mundo".

Todas as nossas experiências, de fato, ocorrem num meio caminho. O corpo é tanto matéria quanto espírito – nunca um sem o outro. O comportamento não é nem coisa nem ideia, ele é forma em ação e sentido em construção. A percepção é encontro de uma intenção com um dado, o visível é tornado possível e organizado a partir de dentro por aquilo que escapa ao olhar. "Não é o olho que vê. Não é a alma. É o corpo como totalidade aberta", ele escreve numa de suas últimas aulas.

Verificar os dados

A mesma atenção dada à permanente junção entre real e sentido é encontrada em suas análises políticas. Fundador, com Sartre, em outubro de 1945, da revista *Les Temps Modernes*, para a qual com frequência escreve os editoriais e desempenha o papel de diretor, Merleau-Ponty nunca foi marxista ou comunista. Ele assina com Sartre, em janeiro de 1950, o artigo "L'URSS et les camps" [A URSS e os campos de concentração], que começa da seguinte forma: "Está provado que os cidadãos soviéticos podem ser deportados ao longo de investigações, sem julgamento e sem limite de tempo".

Ele acaba rompendo com Sartre, em 8 de julho de 1953. As concepções dos dois sobre o engajamento se tornam inconciliáveis. Sartre se alinha cada vez mais diretamente com as posições soviéticas. Merleau predica, pelo contrário, conforme enfatizado em sua última carta, uma filosofia que definisse "o acordo de princípio e a discordância de fato de si, dos outros e da verdade", e "a paciência que faz tudo isso andar junto, de um jeito ou de outro". Em *As aventuras da dialética*, ele faz a seguinte pergunta: "Pedir que os dados sejam verificados é trapacear?".

Essa disputa coloca em jogo duas maneiras de compreender a posição dos intelectuais no embate político. Para Sartre, o importante é agir, não calar, tomar posição. Não fazer, pelo silêncio ou pela distância, o jogo da burguesia, isso é o que conta acima de tudo. É necessário intervir constantemente na atualidade, reagindo aos acontecimentos, no calor da hora, a cada vez, diariamente, para não trair.

Sartre critica Merleau-Ponty, que acaba de entrar no Collège de France, por não ter tomado posição publicamente sobre vários assuntos. "Você se retira da política, prefere se dedicar a suas pesquisas filosóficas." Essa reserva, para Sartre, nada tem de condenável em si, mas ela retira de Merleau-Ponty toda legitimidade... para formular objeções a Sartre! "Se você não faz nada, não tem o direito de me criticar politicamente, tem o direito de escrever seu livro, só isso."

Diante dessas declarações peremptórias e bastante terroristas, Merleau-Ponty mantém a compostura. Ele sabe como Sartre o considera: "Por uma 'mutação brusca', que você data de 1950, eu teria me retirado da política para fazer filosofia, decisão tão pouco contestável quanto a de ser alpinista, mas que, não mais que ela, não pode ter sentido político nem ser dada como exemplar". É justamente isso que ele contesta. Pois não é garantido que a maneira mais eficaz de se engajar seja "escrever sobre os acontecimentos à medida que eles se apresentam".

A torre de marfim de fato é uma ilusão, mas a ausência de recuo sem dúvida constitui uma armadilha. Quem pode dizer o que é mais eficaz, no fim das contas: a aula de filosofia ou a reunião política? Além disso, o filósofo não é apenas um escritor de livros. "Ele está no mundo", diz Merleau-Ponty, ele intervém no mundo e o perturba. Mas não por meio de ações políticas diretas. Situação ambígua. Lembremos de Sócrates.

Esse debate não tem fim, evidentemente, e não se circunscreve aos anos 1950. Entre os que julgam indispensável intervir imediatamente e o tempo todo e aqueles que preconizam um certo distanciamento para fazer análises profundas, o embate está longe de chegar ao fim. Uns e outros representam duas faces indissociáveis da vida intelectual.

Por que o filósofo deve mancar

Merleau-Ponty morreu de repente enquanto trabalhava, havia vários anos, numa nova análise da abertura interna do mundo. Vários textos póstumos indicaram as linhas essenciais dessa obra interrompida pela morte – em particular *O visível e o invisível*, publicado por Claude Lefort segundo as anotações do filósofo, o manuscrito da Introdução de *A prosa do mundo*, os *Résumés des cours* (1952-1960) proferidos no Collège de France e anotações inéditas de aulas.

Entre os pontos mais interessantes dessas anotações figura a análise das relações entre ciência e filosofia: nem oposição nem indiferença, mas crítica e complementaridade. Sua crítica se exerce, primeiro, sobre aquilo que, nos físicos ou nos biólogos, atesta um resquício de pertencimento ao universo do mito. "Seu conceito de Natureza", diz Merleau-Ponty, "muitas vezes não passa de um ídolo ao qual o cientista sacrifica mais em virtude de motivos afetivos do que pelos dados científicos." A crítica também se dirige a essa "superstição dos meios bem-sucedidos" de que sofrem os cientistas, a ponto de às vezes terem o olhar curto demais.

É preciso tentar, assim, "ver nas costas do físico". Mas essa preocupação de ver, mais do que a de intervir, não garante ao filósofo nenhum privilégio. É perigoso "dar plena liberdade ao filósofo. Ao confiar depressa demais na linguagem, ele seria vítima da ilusão de um tesouro incondicionado de sabedoria absoluta contida na linguagem e que só se possuiria praticando-a. Daí as falsas etimologias de Heidegger, sua Gnose". Atento em não cair nessa armadilha, Merleau-Ponty se informa sobre os trabalhos científicos com acuidade e rigor raros de encontrar. A extensão e a variedade de suas leituras surpreendem. Da psicologia experimental à biologia celular, da física quântica à cibernética, ele apoia sua reflexão em múltiplas referências exatas. Sua análise não se limita, no entanto, a comentar brilhantemente as variações do conceito de Natureza, de Aristóteles a Husserl e a Whitehead, passando por Descartes, Kant, Schelling, Bergson e mais alguns. Ela se interessa tanto pelas manchas das rãs quanto pelas tartarugas artificiais, tanto pelo verme marinho quanto pelos blastômeros do ovo do ouriço-do-mar. A abordagem é sempre a mesma: nunca aceitar uma única possibilidade – o que ele chama de "claudicância" do filósofo –, dar às questões das ciências as respostas dos filósofos, e vice-versa.

Aonde isso o conduz? À ideia de que a natureza é a outra face do corpo, superada pela linguagem mas sempre presente, sob a forma de um "ser selvagem", presença invisível e constante, e não como uma origem distante da qual teríamos nos separado há muito tempo. Outros resultados são vislumbrados, como a relação do homem com a animalidade (lateral, não hierárquica). Todos provêm da mesma necessidade: pensar como unidos e recíprocos elementos que erroneamente considerávamos separados ou disjuntos.

Corpo-alma, natureza-linguagem, ciência-filosofia, coisa-ideia, neurônio-pensamento... nunca são, para Merleau-Ponty, termos radicalmente opostos. Ao tentar "descrever o homem como um canteiro de obras", ele procura pensar a respeito de seus encontros, de suas trocas, e mesmo de suas fusões instáveis. E nisso ele é um mestre.

De Merleau-Ponty, o que ler primeiro?

Elogio da filosofia. Tradução de Antonio Braz Teixeira. Lisboa: Guimarães Editores, 1998.

Maurice Merleau-Ponty

E depois?

As aventuras da dialética. Tradução de Cláudia Berliner. São Paulo: Martins Fontes, 2006.
O visível e o invisível. Tradução de Armando Mora d'Oliveira. São Paulo: Perspectiva, 2012.
O volume das *Œuvres* organizado por Claude Lefort (Gallimard, 2010, Coleção "Quarto"), que reúne suas principais obras.

Sobre Merleau-Ponty, o que ler para ir mais longe?

A introdução de Claude Lefort ao volume das *Œuvres* mencionado acima.
DA SILVA-CHARRAK, Clara. *Merleau-Ponty, le corps et le sens*. Paris: PUF, 2005.
DUPOND, Pascal. *Le Vocabulaire de Merleau-Ponty*. Paris: Ellipses, 2001.

☞ Em Merleau-Ponty, o homem constrói o sentido do mundo, de maneira imperfeita, em interação constante com a natureza e o corpo.

☞ Com Camus, em contrapartida, o absurdo vem em primeiro lugar, e somente a revolta torna o homem digno.

- **Nome: ALBERT CAMUS**
- **Ambiente e meio**

A luz da Argélia e o Mediterrâneo dominam a vida de Camus como uma força e uma nostalgia.

- **10 datas**

1913 Nasce na Argélia, em Mondovi.
1923-1930 Bolsista no liceu Mustapha, em Argel.
1930-33 Tuberculose e cura (recaída em 1942).
1942 Publica *O mito de Sísifo*.
1944 Primeiro número do jornal *Combat*.
1947 Publica *A peste*.
1951 Publica *O homem revoltado*.
1952 Ruptura com Sartre.
1956 Prêmio Nobel de Literatura.
1960 Morre em Villeblin, no dia 4 de fevereiro de 1960, num acidente de carro.

- **Conceito de verdade**

A verdade, para Camus:
é descoberta no confronto com o absurdo do mundo,
é construída pela ação, obstinadamente,
é compartilhada pelas obras, tanto poéticas quanto teóricas.

- **Uma frase-chave**

"Eu me revolto, logo nós somos."

- **Posição ocupada no pensamento contemporâneo**

Controverso em vida, glorificado após a morte, quase sendo embalsamado e mumificado, o escritor e filósofo parece se tornar cada vez mais atual, em virtude das mutações globais do mundo de hoje.

Capítulo 12

Onde Albert Camus se obstina
a acreditar no homem revoltado

Bastante desprezado pelos intelectuais, muito detestado pela esquerda, mantido à distância pela direita, Camus trilhou um caminho solitário. Hoje, o mundo todo celebra sua importância. Louva-se o escritor de gênio, engajado mas nunca avassalado, o jornalista de altos voos, o dramaturgo, o poeta, o romancista... Seu corpo permanece no cemitério de Lourmarin, mas ele foi totalmente "panteonizado".

Resta saber por qual papel. O lugar de Camus será no panteão dos filósofos? Não faltam argumentos para responder que "sim". Os temas maiores de seus ensaios vão nesse sentido: o absurdo da condição humana em *O mito de Sísifo* (1942), a denúncia das servidões revolucionárias em *O homem revoltado* (1957). Mas há mais que isso. Sua obra como um todo manifesta uma constatação essencial: o mundo não permite nenhuma esperança, é preciso agir contra tudo e todos. O que poderia se assemelhar a uma filosofia prática de nossos tempos.

Existem motivos, porém, para se recusar a Camus o título de filósofo. Podemos chamá-lo de homem de reflexão, mas não de mestre dos conceitos. Aliás, Camus parece ter resolvido esse debate por conta própria: "Não sou e nunca pretendi ser um filósofo". Ou ainda: "Por que sou artista e não filósofo? Porque penso segundo as palavras e não segundo as ideias".

Mesmo assim, a questão não está encerrada. O próprio Camus inverte o sentido dessas últimas afirmações ao dizer que a escrita romanesca, a seus olhos, não é menos filosófica que a análise teórica: "Pensamos sempre por imagens. Se quiser ser filósofo, escreva romances". E: "Os sentimentos e as imagens multiplicam a filosofia por dez". Não ser um teórico, avançar sem sistema ou jargão, passar do teatro ao jornalismo e do romance ao ensaio, portanto, poderia ser uma maneira singular de se mostrar, em tempos de provações e impotência, mais e melhor filósofo. Em última instância, literatura e poesia conteriam mais verdades filosóficas do que a prosa cinzenta dos professores.

Por outro lado, Camus não avança sem bússola. Ele não se preocupa em edificar um sistema rigoroso, mas seu caminho se define claramente graças a uma constelação de posições fundamentais – bem conhecidas, nem sempre bem compreendidas. Tudo começa pelo absurdo. Essa noção constitui o pano de fundo, o segundo plano constante de suas reflexões. No entanto, o modo como Camus renova seu sentido e alcance é com frequência omitido.

Suportar o silêncio do mundo

Ele não se contenta em dizer que a realidade é caótica, irracional e desprovida de sentido. Ele enfatiza, em *O mito de Sísifo*: "O absurdo nasce desse confronto entre o apelo humano e o silêncio descabido do mundo". É preciso, portanto, reconhecer tanto o imperioso desejo de compreender que atormenta a solidão humana quanto a ausência contínua de respostas. No fim das contas, para o homem tudo será para sempre incompreensível, porque descabido: a persistência do mal, a inexistência do progresso, a chegada da morte.

Deveríamos nos suicidar, então, para acabar com isso de vez e não ter de suportar o absurdo? O suicídio se torna, portanto, a questão filosófica primordial. É preciso resolvê-la antes de qualquer outra, os dilemas habituais só viriam depois. Saber se a vida vale a pena ser vivida seria a questão preliminar da filosofia. Essa não é a ideia mais brilhante de Camus. Quem alguma vez realmente se perguntou: "Antes de pensar neste ou naquele problema, preciso primeiro decidir se devo viver"? Seria um excesso artificial. Como as construções dos filósofos: evidentes na aparência, mas sem correspondência com a realidade.

O essencial, na verdade, está na resposta: não se trata de apagar o absurdo, mas de ancorar-se a ele. É preciso mantê-lo como destino aceito, coroado pelo desprezo e pela alegria do instante. E metamorfoseado pela revolta – segunda palavra-chave da obra de Camus. A revolta – contra cada servidão, cada humilhação, cada indignidade – constitui o cimento das cumplicidades humanas, o substrato múltiplo de todas as solidariedades. "Eu me revolto, logo nós somos", em *O homem revoltado*, soa como uma espécie de novo *cogito*. Ainda assim – e aqui Camus é realmente grande –, é preciso que a revolta nunca ceda à desmesura, que ela não se volte contra si mesma, transformando a construção da liberdade em terror e as vítimas em novos algozes.

É aqui que se separam os caminhos de Sartre, que faz causa comum com os comunistas, e de Camus. Para este, a revolta também deve ser exercida contra as revoluções – em nome da dignidade, do respeito ao humano. Em nome do instante, também. E da natureza, deveríamos acrescentar. Pois também se impõe, no humanismo de Camus, uma revolta contra a onipresença da História e a obsessão por seu sentido. Pensar apenas na História alimenta o medo de usufruir, oculta a luz do mundo.

O corpo exige o instante, a vida escolhe necessariamente o presente, e não o amanhã. Nossos combates seriam derrotas se nos fizessem esquecer do som do mar ou da suavidade inominável de um corpo. Talvez seja essa profunda ancoragem na realidade carnal que faça de Camus um filósofo tão singular e tão solitário.

Ele não pertence à tribo dos ratos de biblioteca, dos esmiuçadores de argumentos e dos jargonistas de plantão – não mais do que à dos malabaristas de abstrações ou dos artesãos da glosa. Seus romances pertencem, à sua maneira, à sua própria gesta filosófica. *O estrangeiro*, *A peste*, *A queda* – assim como as novelas de *O exílio e o reino*, o teatro, os editoriais – são modos de reflexão e intervenção de uma única e mesma vitalidade.

Ser filósofo, com Camus, significa renunciar às certezas mas não às lutas, esforçar-se obstinadamente em pensar o seu tempo, aceitar o caos e traçar o próprio caminho. O que também supõe suportar os mal-entendidos. É o que confirmam as palavras do escritor, em 10 de dezembro de 1957, na coletiva de imprensa do Prêmio Nobel: "Os filósofos comunistas dizem que sou um filósofo reacionário, os filósofos reacionários dizem que sou um filósofo comunista. Os ateus me consideram muito cristão, os cristãos deploram meu ateísmo [...]." A um jornalista que lhe pergunta qual sua posição política, ele responde: "A posição de um solitário". Poderíamos dizer o mesmo de sua posição filosófica.

Em virtude de uma derradeira singularidade, que agrupa secretamente todas as outras, Camus pensa a partir do homem e para o homem. Não se trata apenas de um gesto heroico, no século mais desumano de toda a História. Trata-se também, na filosofia contemporânea, de ocupar um lugar praticamente deserto. O anti-humanismo domina, sob múltiplas formas, o pensamento do século XX – de Heidegger ao estruturalismo, do positivismo lógico à desconstrução preconizada por Jacques Derrida. Camus, por sua vez, se revolta contra essa desintegração do humano. Nesse ponto, ele pertence muito mais ao futuro do que ao passado. Em 1937, Paul Éluard escrevia: "O poeta é aquele que inspira, muito mais do que aquele que é inspirado". Deveríamos dizer o mesmo da maneira com que Camus nos leva, ainda hoje, a filosofar dignamente.

Atualidade da revolta

É por isso que, hoje, é preciso ler, mais do que qualquer outro título desse solitário, *O homem revoltado*. Esse livro de 1951 fala de nosso futuro. Isso pode surpreender, pois é evidente que o mundo mudou muito desde então. O totalitarismo marxista, principal alvo de Albert Camus, praticamente desapareceu. Do império comunista que dominava uma grande parte do mundo, os raros sobreviventes, como a Coreia do Norte, aparecem quase como excentricidades, semelhantes aos amish nos Estados Unidos. A ideia de revolução, sobre a qual Camus constrói uma bela análise crítica, ocupava um lugar central. Excetuados alguns nostálgicos e visionários, mais ninguém, hoje, se preocupa de fato com ela.

No entanto, o ensaio não caducou. Ele escapa, essencialmente, ao estilo foto amarelada e debate de arquivo. Sem dúvida aborda questões ultrapassadas: um intelectual pode apoiar Stálin? Ele deve se calar ou berrar quando a esperança se transforma em máquina assassina? O risco seria cair numa clássica dissertação "ética e política", com passagens obrigatórias sobre os fins e os meios, poucos pensamentos diluídos em muita retórica. As más línguas vilipendiaram tanto a "subfilosofia" de Camus que o leitor pode temer encontrar, sob a imagem de um presente superado, banalidades eternas. Erro total.

Porque essa obra-prima tem algo de profética. A evolução do planeta conferiu novas pertinências às análises de Camus, sua tentativa filosófica adquiriu um sentido inesperado em função das mutações da história. Suas noções-chave – "absurdo", "revolta", "limite" – falam menos do passado do que de nosso presente e de nosso futuro. Pois o "absurdo" não é intemporal. Tanto em 1951 quanto hoje, os homens se perguntam continuamente qual o sentido do mundo e recebem o mesmo silêncio como resposta. No entanto, a profunda insensatez da realidade, essa "fratura entre o mundo e meu espírito", que Camus chamou de absurdo, adquire, para nós, uma forma inédita.

Sabemos, hoje, que o fim definitivo da aventura humana não pode ser excluído. A devastação do planeta por predadores androides não está nem perto de cessar, ela pode se revelar irreversível, e nosso desaparecimento, uma certeza. Haverá mais potente ilustração do absurdo do que a autodestruição da espécie dotada de razão? Esse é o mais intenso motivo de revolta para nossa época, e portanto de razões para agir. A revolta é uma coisa boa, como enfatiza Camus, "uma das únicas posições filosóficas coerentes", mas não se trata de um ponto de vista teórico, ao cabo de uma demonstração argumentada.

A revolta é, em primeiro lugar, sobressalto diante do absurdo: meia-volta, como o nome indica, ela surge no instante em que dizemos "não é possível". E essa negação "afirma a existência de uma fronteira". Assim, o intolerável deixa de ser tolerado. Acabam as submissões, humilhações, indignidades, injustiças – um outro mundo é desejado. Um mundo mais humano se torna possível. Ele passa a existir assim que a revolta se manifesta, pois ela é portadora de uma ordem, de um horizonte, de uma série de valores.

Ao ler Camus, compreendemos melhor por que novas revoltas surgem diante de novas formas de absurdo. Hoje, como não haveria revolta, mais intensa que nunca? Desigualdades crescentes, controles permanentes, estupidificação chamada de "cultura" e indiferença generalizada se infiltram nos mínimos recantos do mundo. Sob essa perspectiva, Camus é atual.

Assim como são, ou voltam a ser, suas análises sobre o limite positivo da revolta. Pois mesura e desmesura estão no cerne de sua proposta. Quando a desmesura se apodera da revolta, esta acaba se virando contra si mesma: desejava-se a liberdade, fabrica-se o terror. O impulso dado pela revolta desemboca numa revolução permanente, e esse processo sem limites gera a pior das desumanidades, aquela em que os justiceiros se transformam em criminosos. Assim, é preciso se revoltar também contra as revoluções, impor-lhes o respeito à dignidade, o simples senso do humano.

O mérito de Camus foi ter fundamentado essa análise sobre uma elaborada genealogia do niilismo. Do Marquês de Sade aos dândis românticos, de Dostoiévski a Max Stirner, de Nietzsche a Lautréamont, de Saint-Just a Hegel, sem esquecer páginas notáveis sobre os niilistas russos (Pisarev, Belínski, Nechayev), a investigação de Camus não mostra apenas a amplitude de sua cultura. Ela convence, se necessário for, porque esse artista também é um pensador de grande envergadura, que não teme resistir a seu tempo. Essa evidência foi com frequência esquecida – uma maneira de fazer Camus pagar por seus grandes crimes: ter sido de esquerda mas anticomunista, ter sido jornalista e escritor mas filósofo.

Ele foi plenamente um filósofo? A pergunta é vã, se não especificarmos o sentido que damos a essa palavra. A resposta depende da concepção, mais ou menos rígida, que temos da filosofia. De fato, importa menos conferir títulos do que discernir razões de agir. Foi o que Camus disse e redisse: "Não sou filósofo. Não acredito o suficiente na razão para acreditar num sistema. O que me interessa é saber como se conduzir". Nesse ponto, sua reflexão poderia se resumir a uma frase: é preciso se revoltar sem se tornar desumano e, se possível, refazer o mundo, mas acima de tudo impedir que ele se desfaça. Não existe, sem dúvida, pensamento mais atual que esse.

De Camus, o que ler primeiro?

O homem revoltado. Tradução de Valerie Rumjanek. Rio de Janeiro: Record, 2011.

E depois?

O estrangeiro. Tradução de Valerie Rumjanek. Rio de Janeiro: Record, 1997.

A peste. Tradução de Valerie Rumjanek. Rio de Janeiro: Record, 2009.

O mito de Sísifo. Tradução de Ari Roitman e Paulina Wacht. Rio de Janeiro: Record, 2004.

Sobre Camus, o que ler para ir mais longe?

TODD, Oliver. *Albert Camus: uma vida*. Tradução de Mônica Stahel. Rio de Janeiro: Record, 1998.

GUÉRIN, Jean-Yves. *Dictionnaire Albert Camus*. Paris: Robert Laffont, 2009.

Quinta parte

O QUE PODE A VERDADE

A verdade pode libertar. Abrir a mente, desfazer as amarras. Ela tem o poder de instaurar a liberdade onde reinava a submissão. Em vez de uma vida restrita em que todos giram em círculos, ela é capaz de fazer o horizonte de um outro mundo nascer e desenhar os caminhos para se chegar até ele.

Curiosamente, essas frases se aplicam tanto à libertação espiritual quanto à emancipação social. Elas valem para as religiões e para as ciências, e também para as lutas políticas.

É possível que uma das características singulares do século XX tenha sido, justamente, sem que tenhamos nos dado conta, aproximar essas duas abordagens que, à primeira vista, na maioria das vezes, são opostas em tudo. Essa questão se torna mais perceptível no alinhamento insólito de um mestre espiritual e político, o Mahatma Gandhi, com um teórico marxista puro e duro, o filósofo Louis Althusser, e um antropólogo estruturalista, Claude Lévi-Strauss.

À primeira vista, eles não têm nada em comum. Gandhi está ligado à Índia, tenaz, modesto, mas também mergulhado na grande política. Tem uma fé profunda e está sempre afirmando que todas as religiões transmitem, na realidade, um mesmo fundo de verdade. Althusser é um homem cosmopolita, professor, que vive entre os muros da École Normale Supérieure. Ele está convencido de que todas as religiões são profundamente falsas, de que os homens só podem contar, para se emancipar, com as próprias forças. Lévi-Strauss se recusa a tomar partido em política – militante socialista na juventude, torna-se mais conservador na maturidade – e se limita a estudar, como observador e, principalmente, como teórico, as diferenças entre as sociedades humanas.

Mesmo assim, eles não deixam de ter pontos em comum. Cada um, à própria maneira, opera uma descentralização que coloca em jogo o lugar do Ocidente, o papel da razão e a libertação da humanidade. Gandhi conquista para a Índia um lugar nas relações internacionais, coloca em questão o modo de vida industrializado, que se apresenta como racional e se revela insensato. Althusser subverte o dogma oficial do marxismo para reforçá-lo em nome da ciência emancipadora, e se vê ao mesmo tempo secretamente consumido pela loucura. Claude Lévi-Strauss estilhaça a ideia de uma civilização superior à outra e coloca em causa a evidência do domínio humano sobre a natureza.

Introdução

Eles desfazem, por meios dessemelhantes mas convergentes, os mapas mentais do mundo moderno. Eles anunciam, entre disparidades e confluências, algumas linhas de força do mundo emergente.

- **Nome: MOHANDAS KARAMCHAND GANDHI**
- **Ambiente e meio**

Da Índia à Índia, passando por Londres e pela África do Sul, a trajetória de Gandhi mescla combates e meditações, questões domésticas e política internacional, filosofia e espiritualidade.

- **11 datas**

1869 Nasce em Porbandar, no Gujarat.
1883 Casado pelos pais aos treze anos com uma jovem da mesma idade.
1888-91 Estudos de Direito na University College de Londres.
1893 Retorno à Índia, partida para a África do Sul.
1893-1915 Na África do Sul, descobre as discriminações raciais, defende os direitos cívicos e cria seu método de luta não violenta.
1915 Retorno à Índia, fundação de um *ashram*, múltiplos combates sociais.
1930 Marcha do sal, de 12 de março a 6 de abril.
1940 Intensifica o combate pela independência da Índia.
1942-1944 Preso pelas autoridades britânicas.
1947 Opõe-se à partição da Índia durante a independência.
1948 Assassinado em 30 de janeiro por um nacionalista que o considera responsável pela partição.

- **Conceito de verdade**

A verdade, para Gandhi:
é Deus,
é experimentada por meio da meditação e da ação,
é indissociavelmente moral e respeitosa para com os outros.

- **Uma frase-chave**

"Existem muitas causas pelas quais estou disposto a morrer, mas nenhuma pela qual estou disposto a matar."

- **Posição ocupada no pensamento contemporâneo**

Mais de meio século após sua morte, a figura de Gandhi e o tipo de luta que ele representa continuam a inspirar muitos movimentos em todo o mundo.

Capítulo 13
Onde o Mahatma Gandhi reinventa a luta moral

Em geral, Gandhi, o Mahatma ("a Grande Alma"), é considerado um homem político de tipo incomum, mistura de figura espiritual com ícone da sabedoria. É raro, porém, que o considerem um filósofo. Indiscutivelmente, trata-se de um mestre do pensamento. Poucas figuras foram e continuam sendo tão influentes: mais de meio século depois de seu assassinato, ele ainda é uma referência importante para dezenas de milhares de pessoas no mundo todo.

Na verdade, é difícil classificá-lo. Gandhi não foi um criador de conceitos, nem um teórico puro e duro, e tampouco uma figura propriamente religiosa. Ele se inscrevia, por certo, na linhagem do hinduísmo, afirmava venerar sem discriminação diferentes formas de espiritualidade – ele enfatizava as convergências, e mesmo a unidade entre elas, em vez das dissonâncias. No entanto, foi um homem de palavra e ação, mestre de vida, muito mais do que um religioso no sentido estrito.

Ele se quis universal querendo-se indiano. Formado no Ocidente – descobriu os textos sânscritos em Londres, durante os estudos, em traduções para línguas europeias –, ele reivindicava seu profundo pertencimento ao substrato do pensamento indiano.

O QUE PODE A VERDADE

Apesar de ter explorado aos poucos, quase tardiamente, a perspectiva indiana, Gandhi se tornou um de seus mais influentes emblemas.

Acima de tudo, ele estava convencido de que a verdade é ativa, de que ela pode mudar o mundo apenas com a força de sua obstinação. Quem se interessa pelas concepções contemporâneas de verdade, pela maneira como é afirmada ou negada a eficácia da verdade, precisa estudar Gandhi. Pois ele personifica de maneira quase perfeita a seguinte ideia: as verdades morais existem, e são capazes de guiar a ação humana e as lutas políticas.

O nome que Gandhi deu à sua doutrina – *satyagraha* – significa insistência ou firmeza (*agraha*) na verdade. *Satya* designa em sânscrito aquilo que existe, aquilo que é, e também significa a verdade enquanto realidade para o espírito. Para Gandhi, o mais importante são os valores morais, o bem. Ele sempre se refere a eles. Essa verdade moral, a seu ver, possui uma eficácia, uma ascendência sobre a realidade, um poder sobre a história. Não se trata de uma sombra, de um reino evanescente desprovido de impacto sobre as relações de força e as lutas que compõem o mundo. Pelo contrário, a verdade é a arma mais poderosa.

A atitude de Gandhi em relação à verdade é parecida com a de Sócrates. No diálogo de Platão intitulado *Górgias*, Sócrates coloca a ênfase na existência de um plano de realidade moral que nada tem a ver com o registro dos fatos. Ele recusa o critério único constituído pela vitória apenas no nível dos fatos, em que qualquer justiça desvanece. Porque os tiranos saem vitoriosos – e os adversários perdem. Porque os algozes espoliam as vítimas, se livram dos corpos e celebram o próprio crime. Se houver apenas os fatos, ninguém escolherá a derrota, o sacrifício e o sofrimento. O jovem Cálicles, que desafia Sócrates com a arrogância dos realistas, repete a seguinte evidência das relações de força: melhor ser algoz do que vítima. Aos criminosos, as mãos cheias; aos justos, os olhos para chorar. Se esta for a única realidade, não haverá hesitação – é preciso sair vencedor, portanto ser o mais forte. O resto não passa de infantilidade.

A retidão de Sócrates, e a de Gandhi, coloca em cena, em contrapartida, outro registro de realidade – o da justiça e das normas morais, em que os algozes perdem e as vítimas são gloriosas. Em suma, ou existe uma única ordem no mundo, a ordem dos fatos e das relações de força, ou existem duas – fatos e valores, forças e direito. Essa divisão sempre atravessou a história do pensamento.

Seria um erro, portanto, afirmar que os bons sentimentos não podem fazer uma boa política, ou repetir que somente os resultados contam. Gandhi quer lembrar que esse realismo tem seus limites, e que uma verdade mais forte, e no fim das contas mais eficaz, deve substituí-lo. Para chegar a essa conclusão, e ao domínio que lhe permitiu colocá-la em ação, seu caminho foi longo e, a princípio, hesitante.

Um advogado no exílio

O caminho até a sabedoria é sinuoso. Nascido numa família modesta da casta dos comerciantes, o jovem Gandhi foi casado aos treze anos pelos pais, segundo a tradição. Apesar das proibições ligadas à sua casta, viajou para estudar na Inglaterra. Antes da partida, jurou nunca consumir álcool, não comer carne e não frequentar mulheres durante o exílio entre as hordas ocidentais. Depois de obter o diploma, voltou para a terra natal, mas sua timidez tornava difícil a entrada na vida profissional. Ele tirou proveito, então, de uma ocasião que se apresentou: um cargo de advogado na África do Sul. Nesse país, lentamente se tornou ele mesmo.

Os vinte anos que Gandhi passou na África do Sul foram decisivos. Forjaram sua personalidade, seu pensamento, suas maneiras de agir. Ao defender os direitos dos indianos na África do Sul, ele descobriu como aplicar no mundo moderno o *Bhagavad Gita*, decisivo poema místico da Índia antiga. Ele leu Tolstói e compreendeu, graças a ele, a força e a grandeza da mensagem evangélica. Ele também se impregnou do pensamento de Henry David Thoreau, em particular do livro sobre *A desobediência civil*.

Aí se encontra a essência das ideias-força de Gandhi. Ele buscou uma síntese entre a "renúncia ao fruto das ações", do *Bhagavad Gita*, o amor ao próximo, do Evangelho revisto por Tolstói, e a teoria da ação civil não violenta de Thoreau. Fazer convergir esses pensamentos, tentar fundir seus aportes, foi a isso que ele se dedicou, forjando a doutrina da não violência (*ahimsa*, formada a partir do privativo *a* e de *himsa*, violência).

A não violência como luta

Inúmeros erros de interpretação são cometidos na explicação dessa não violência. Com muita frequência se afirma, de fato, que ela significa ausência de conflito, paz, docilidade geral e entendimento universal. Não é assim que Gandhi entende essa ideia. Claro que esses objetivos estão no horizonte de seu pensamento e de sua ação. Mas a não violência, a princípio, é uma forma particular de combate, político e social. Sua rigidez, suas implicações, sua intensidade conflitiva são muito mais fortes do que em geral se imagina. Palavras suaves e vontade de paz não são suficientes. Trata-se de um verdadeiro combate – para recusar a taxa sobre o sal (1930) ou para a independência da Índia.

Esses conflitos são longos e intensos. A não violência não significa ausência de lutas, mas a recusa de usar a força física no combate. A violência corporal é substituída por uma violência moral, uma forma de desafio que apela à moralidade e à consciência do outro, tomando para si uma parte do risco. Quando Gandhi anuncia que vai jejuar até a morte, ele coloca a própria vida na balança. Esse gesto significa que seu horizonte de luta não se dirige ao corpo e à força física de seus adversários, mas à consciência e à humanidade deles.

Dizendo de maneira simples, não se trata mais de dizer ao outro: "Sou o mais forte fisicamente, por isso você vai ceder, porque vou dominá-lo pelo poder das armas e do terror". Aqui, trata-se de dizer: "Você é um ser humano, portanto sua consciência não pode me deixar morrer. Porque, se você me deixar morrer, minha morte será responsabilidade sua". Há uma mudança de registro na luta. A tática consiste em prender o adversário na armadilha da moral, na armadilha de sua própria humanidade, o que supõe uma dupla aposta.

Primeiro, uma aposta na existência – como afirmado por Sócrates – de um registro de valores morais. Se eles não passassem de ilusões, mentiras, miragens, essa ação perderia toda a validade. Também é preciso apostar na humanidade do adversário. Imaginemos que ele recuse esse apelo à consciência, que ele considere que aquele que escolhe colocar em perigo a própria vida deve culpar a si mesmo e não tem incidência alguma sobre a culpa de seu adversário: a ação inteira será vã.

Do ponto de vista filosófico, Gandhi tem a particularidade de ter tentado ressuscitar a verdade moral num mundo e num século que a haviam aniquilado e se dedicavam a negá-la radicalmente. A seus olhos, incluir a dimensão moral nas relações de força prepara uma mudança radical do mundo. "Ao aplicar o *Satyagraha*", ele escreve, "descobri, nas últimas manifestações, que a busca da verdade não admitia que a violência fosse imposta ao oponente, mas que ela devia ser decantada do erro pela paciência e pela simpatia. Para fazer isso, o que parece verdadeiro para um deve parecer falso para o outro. E a paciência significa sofrimento pessoal. Em suma, a doutrina significa a reivindicação da verdade, não infligindo sofrimento ao adversário mas tomando-o para si."

Essa grandeza de alma não implica que o Mahatma tenha razão em tudo. Ele também cometeu erros e excessos, especialmente ao recusar de maneira desdenhosa, muitas vezes excessiva, a modernidade, o progresso e a indústria. Sua maneira de julgar quase tudo o que é tecnológico deve ser rejeitada – sua campanha para que cada indiano fabrique as próprias roupas é arcaica e ilusória.

Sem a carne

Há mais uma estranheza nesse mestre heroico. Gandhi, ou *Gandhiji* (o *ji* marca respeito e afeição, chegando às vezes à veneração), ou *Bapu* ("pai", em gujarati), é ao mesmo tempo um mito político, um ícone espiritual e um homem real, mistura de fragilidade e determinação, de grandeza e de estranheza. Na intimidade, ele muitas vezes se revela intransigente e instável. A pureza dessa grande alma pode ser julgada terrível, parecendo incompatível com qualquer relação amorosa.

Seus biógrafos de fato nos mostram um homem obcecado pela exigência de ser transparente (ele diz tudo, publica tudo), maníaco pela disciplina (o sino bate em seu *ashram*... 56 vezes por dia!), experimentador de inúmeros regimes alimentares (ele os mudava com frequência), constantemente atraído por aqueles que sofrem mais do que pelos que estão bem, preocupado em cuidar de seu entourage, a quem prescreve constantes remédios elementares de eficácia também elementar.

Acima de tudo, ele se dedica sistematicamente a considerar os erros dos outros como sendo seus. Faltas foram cometidas por alguns membros de sua comunidade? Para Gandhi, aconteceram em virtude de seus próprios vícios. Ele então se pune pelo que os outros fizeram, convencido de que seu aperfeiçoamento recairá nos outros. Semelhante permeabilidade moral – onde não se sabe mais quem é responsável pelo quê – parece a muitos grandiosa e digna de admiração. Ela me parece levar a um totalitarismo da pureza. Gandhi, por exemplo, ataca incansavelmente o desejo sexual, tanto o seu quanto o dos outros.

Apaixonar-se por um homem como ele não deve ser fácil. Madeline Slade, que Gandhi rebatizou de "Mira", teve uma longa experiência dessa paixão casta e dolorosa. Essa solteirona exaltada era filha do almirante da frota britânica, personagem importante. Ela viveu em Bombaim entre os quinze e os dezessete anos, conhecendo a Índia pelos salões impecáveis do almirantado e pelas quadras de tênis no parque. Ao voltar para a Inglaterra, apaixonou-se por Beethoven, viveu um amor impossível com um pianista, descobriu Romain Rolland e acabou escrevendo-lhe uma carta. Graças a ele, descobriu o "novo Cristo": Gandhi!

Assim que acabou de ler o livro que Romain Rolland dedicou a Gandhi, sua decisão estava tomada: ela iria encontrá-lo, se colocaria a seu serviço, partilharia da vida humilde no *ashram*. Sua primeira carta ao mestre anunciou a decisão, enfatizando que levaria um ano para se preparar. Ele respondeu que esse prazo era de fato sensato, pensando talvez que ela teria tempo de mudar de ideia.

Ela contratou um professor de urdu, mandou retirar a cama de seu confortável quarto para se acostumar a dormir no chão, parou de comer carne. Por fim, em 25 de outubro de 1925, aos 33 anos, Madeline subiu no paquete para Bombaim. Ela viveu muitos anos ao lado de Gandhi, se tornou uma das figuras da história indiana contemporânea antes de se isolar em Baden, na Alemanha, para sonhar com Beethoven, outro amor inacessível. O círculo se fechou, ao fim de uma paixão quase stendhaliana cujo desenvolvimento e impossibilidade são retraçados por um belo romance de Sudhir Kakar.

"O espírito sem a carne é perfeito, e isso é tudo do que precisamos", escreveu o Mahatma a Mira. Podemos julgar tal pureza sublime, ideal, admirável. Também podemos achá-la pouco atraente, um pouco sádica, um pouco assassina, e, sobretudo, extraordinariamente violenta. As pessoas que falam o tempo todo de amor em geral não compreendem grande coisa a respeito dele.

De Gandhi, o que ler primeiro?

La Voie de la non-violence. Paris: Gallimard, 2005. (Coleção "Folio".)

E depois?

Autobiografia – minha vida e minhas experiências com a verdade. Tradução de Humberto Mariotti *et alii*. São Paulo: Palas Athena, 2010.

Os leitores anglófonos podem recorrer ao excelente site em que estão disponíveis on-line praticamente todos os livros, artigos e discursos de Gandhi, ou seja, várias dezenas de milhares de páginas (www.mkgandhi.org).

Sobre Gandhi, o que ler para ir mais longe?

CLÉMENT, Catherine. *Gandhi, athlète de la liberté*. Paris: Gallimard, 2008. (Coleção "Découvertes".)

JORDIS, Christine. *Gandhi*. Tradução de Paulo Neves. Porto Alegre: L&PM, 2007.

ATTALI, Jacques. *Gandhi – o despertar dos humilhados*. Tradução de Sandra Guimarães. São Paulo: Novo Século, 2013.

☞ *Com Gandhi, o caminho da emancipação é espiritual e moral, a política passa pelo céu dos valores.*

☞ *Com Althusser, na esteira de Marx, a luta é violenta, na economia e na sociedade, mas também nas ideias.*

- **Nome: LOUIS ALTHUSSER**
- **Ambiente e meio**

As salas de aula da École Normale Supérieure da Rue d'Ulm, em Paris, os intelectuais comunistas e as clínicas psiquiátricas.

- **9 datas**

1918 Nasce em Argel.
1940-45 Prisioneiro na Alemanha.
1945-48 Aluno da École Normale Supérieure.
1948 Filia-se ao Partido Comunista.
1965 Publica *Pour Marx* e o livro coletivo *Ler O capital*.
1969 Publica *Lênin e a filosofia*.
1974 Publica *Elementos de autocrítica*.
1990 Morre em Paris.
1992 Publicação póstuma de sua autobiografia, *L'Avenir dure longtemps*.

- **Conceito de verdade**

A verdade, para Althusser:
é elaborada dentro de uma "prática teórica",
é constituída por reorganização de conceitos,
pode existir no campo da história e no das ciências.

- **Uma frase-chave**

"A ideologia espreita a ciência em cada ponto em que seu rigor declina."

- **Posição ocupada no pensamento contemporâneo**

Considerável nos anos 1960, reduziu-se a muito pouco nas décadas seguintes, mas parece suscitar uma nova atenção nos últimos anos.

Capítulo 14

Onde Althusser e seus fantasmas voltam do reino dos mortos

Quem lembra de Louis Althusser? Depois de seu exílio da cena pública, em 1980, e de sua morte em 1990, a obra e o pensamento do filósofo parecem ter caído na sombra. No entanto, durante as décadas de 1960 e 1970, ele foi um mestre do pensamento para toda uma geração de intelectuais – franceses e europeus, mas também africanos e latino-americanos. O esquecimento não está ligado ao tempo: lembramos muito bem de filósofos anteriores como Bergson ou Wittgenstein. O pensamento de Althusser parece ter se apagado em virtude da derrocada do marxismo.

Para grande parte do século XX, não podemos esquecer, o marxismo não foi apenas um corpo de doutrina ou um conjunto de ferramentas intelectuais. Ele constituiu um "horizonte insuperável" (Sartre), um alicerce teórico, político, geopolítico. Um mundo em si. Dentro desse universo, a abordagem de Althusser marcou um momento importante. Ele merece, hoje, ser novamente entendido – por outras razões que não apenas escrever a história.

De fato, após um longo eclipse, apesar dos desmentidos da história, alguns filósofos hoje acreditam na possibilidade de uma reconstituição do marxismo e de um ressurgimento dos movimentos revolucionários. Debruçar-se sobre a obra de Althusser, portanto, não é apenas um exercício de história. É trazer à luz um tipo de pensamento que alguns tentam reavivar.

O marxismo como ciência

A originalidade de Louis Althusser consiste em ter operado uma junção entre Marx e o estruturalismo. A etiqueta "estruturalismo", que se difundiu nos anos 1960 e 1970, agrupava de maneira abusiva e simplificadora pensadores muito diferentes – como Georges Dumézil, Claude Lévi-Strauss, Jacques Lacan, Louis Althusser, Roland Barthes, Michel Foucault – sem conseguir reuni-los num pensamento realmente comum. Mas o método estrutural não deixa de ter uma singularidade: ele consiste em tirar da névoa dos fatos (textos ou relatos, mas também conceitos e obras de arte) esquemas organizadores imperceptíveis à primeira vista. Ele tenta prestar contas dos fenômenos por meio das transformações desses esquemas. Althusser aplica esse método à evolução das análises de Marx.

Na École Normale Supérieure – onde é professor temporário, "*caïman*" na gíria dos normalianos –, Althusser exerce uma forte influência nos anos 1960. Membro do Partido Comunista, ele representa uma discreta contestação interna à linha oficial do Partido, para orientá-lo a uma política mais revolucionária. Ele critica a política comunista oficial por ser mole demais, presa a concepções ultrapassadas, humanistas e confusas que levam a políticas oportunistas e sem eficácia.

Para combater esses desvios, é preciso operar um "retorno a Marx", segundo Althusser, e mostrar como se constituiu, em sua obra, uma verdadeira ciência da história. Pois a ciência é o verdadeiro modelo de referência para Althusser. Tudo se baseia, para ele, no processo de constituição da ciência, segundo um esquema de Gaston Bachelard.

Em *A formação do espírito científico* (1938), Bachelard estudou a passagem do pré-científico ao científico, a fim de trazer à luz a constituição da física moderna como ciência. Criou especialmente a noção de "ruptura epistemológica" – uma mutação do saber que faz passar da hesitação anterior à ciência ao discurso científico coerente, articulado, corretamente configurado.

Para Bachelard, não é a experiência que comanda, mas a teoria. A emergência do conhecimento científico é sobretudo questão de conceitos: ela resulta da formação pertinente dos conceitos, de suas relações no seio de um novo sistema, que permite um novo discurso. Bachelard elabora essas análises a propósito das ciências duras, dos conhecimentos relativos à natureza.

Transpô-los para o estudo da cultura, para a análise da história e da política, esse é o gesto de Althusser. Ele busca localizar o momento em que se constitui, em Marx, uma "ciência da história", e portanto do político. O que interessa Althusser, portanto, não é o Marx moral, o homem indignado com o trabalho infantil, que protesta diante da injustiça e dos sofrimentos vividos pelos proletários. É o pensador de uma verdade científica, de um novo saber, que transforma o estudo da economia e da história numa ciência revolucionária.

Lênin afirmava que "a teoria de Marx é onipotente porque é verdadeira". Althusser, por sua vez, considera que o aporte essencial de Marx foi ter constituído uma ciência da história, ou ter se aproximado de uma. Assim, quando lemos Marx corretamente, encontramos os instrumentos de uma abordagem científica do político que permite tomar decisões eficazes.

Essa concepção supõe a existência de leis da história – assim como existem leis da natureza. A ciência que as descobre permite agir com pertinência sobre a realidade. O conhecimento verdadeiro das sociedades e dos conflitos humanos (tornado possível sobretudo pelos conceitos de modo de produção e luta de classes) permite agir politicamente de maneira pertinente. Esse é o credo de base.

Nem Aron nem Sartre

Althusser ilustra de maneira exemplar o que Raymond Aron fustigava em *O ópio dos intelectuais* (1955). Tudo repousa na convicção – pura crença, aos olhos de Aron – de que o conhecimento histórico pode se tornar uma ciência e de que o curso dos acontecimentos tem leis que podem ser isoladas. Esse ponto foi um dos grandes cismas da época: uns definem a história e a verdade histórica unicamente em termos de contingência, de surgimento, de imprevisibilidade, de acasos; outros consideram a história um processo determinado, do qual é possível extrair mecanismos objetivos de desenvolvimento, tão estudáveis quanto os da física ou da química.

A abordagem de Althusser se pretende um "retorno a Marx". Essa retomada filosófica, crítica e conceitual examina com cuidado os diferentes momentos de elaboração da teoria marxista. Objetivo: trazer à luz o momento em que ela se torna científica. Althusser combate intensamente a representação de um Marx humanista, defensor de uma natureza humana comum. Ele insiste, pelo contrário, nos elementos que aproximam a abordagem de Marx ao estruturalismo anti-humanista dos anos 1960. Os processos históricos constituiriam, na verdade, "processos sem sujeito". As evoluções ideológicas ou científicas não dependeriam da subjetividade dos indivíduos, elas se desenvolveriam de maneira autônoma, quase mecânica.

Sob esse ponto de vista, o Marx de Althusser está em oposição completa ao de Sartre. Poderíamos dizer que eles estão em simetria inversa. Em Sartre, de fato, a ação depende da livre decisão dos sujeitos individuais, os acontecimentos históricos se formam por meio das convergências, dos choques e das alianças dessas inúmeras trajetórias subjetivas. Para Althusser, em contrapartida, os mecanismos impessoais da história é que comandam, os atos individuais não passam de repercussões.

Seja como for, o marxismo continua sendo, para Althusser, uma pesquisa em construção. Ele recusa o ponto de vista daqueles que consideram a obra de Marx ultrapassada, mas também rejeita o dogma comunista oficial que faz do marxismo uma doutrina acabada e perfeita, que pode ser apresentada e aplicada diretamente. Avançando entre esses dois extremos, Althusser define etapas e níveis dentro do pensamento de Marx.

De modo esquemático, três momentos podem ser distinguidos. Entre 1841 e 1843, Marx ainda é humanista, impregnado da leitura de Feuerbach. A partir de 1844, ele começa a "liquidar sua consciência filosófica", entra num pensamento ainda marcado pela utopia, mas que apresenta uma prefiguração de novos conceitos. Por fim, nos anos seguintes, à medida que escreve *O capital*, a construção da cientificidade do marxismo se consolida. Althusser procura enfatizar os pontos de ruptura que fazem a teoria de Marx se transformar numa verdadeira ciência da história.

Essas análises, que encontraram leitores fervorosos em todo o mundo durante os anos 1960-1970, hoje parecem muito distantes.

Depois da queda do muro de Berlim, do desaparecimento do bloco soviético, da chegada da China à economia de mercado, a ideia de uma inteligibilidade teórica da história ou a necessidade de uma revolução radical também parecem difíceis de ser consideradas vivas. Em definitivo ou temporariamente? Essa é uma das questões do século XXI, e uma razão para reler Althusser. Mas não a única.

Razão e desrazão

Outro motivo para revisitar esse mestre do pensamento é o singular processo que levou sua vida pessoal, até então discreta, a ficar sob os holofotes. Louis Althusser sofria de distúrbios psiquiátricos. Por trás do filósofo, do militante, do pensador comunista consultado pelos intelectuais, havia um homem que sofria e que precisava enfrentar crises de loucura, momentos de intensa depressão e alucinações. Em 1980, na madrugada do dia 16 de novembro, ele estrangulou a mulher, Hélène. Discípulos e amigos fizeram de tudo para que sua demência fosse declarada e ele não fosse responsabilizado pelo ocorrido. O caso suscitou polêmicas. Alguns afirmaram que, por complacência com um intelectual famoso, a justiça deixou um criminoso escapar.

Em seus últimos dez anos de vida, Louis Althusser viveu livre mas anônimo, numa espécie de exílio interior e em muda reclusão. Para sair desse silêncio, ele escreveu *L'avenir dure longtemps*, uma autobiografia. Depois de sua morte, quando o livro foi publicado, descobriu-se outra face de Louis Althusser, que trouxe à tona a questão das estranhas relações entre razão e loucura.

De fato, a luta contra a desrazão faz parte da gênese de todo ser humano. Cada um de nós avança demoradamente, às vezes dolorosamente, até conseguir escapar do reinado da violência insensata e se tornar capaz de começar a falar. Mais tarde, esses embates desaparecem de nossas memórias. Em certo sentido, porém, somos todos antigos combatentes dessa guerra contra a demência. Carregamos, mesmo sem saber, suas marcas. Essas cicatrizes às vezes se abrem de repente, como silenciosas rememorações. Os que não conseguem escapar de seu domínio são chamados de loucos.

Em geral, os filósofos parecem conseguir passar para o lado certo. Soldados da razão, heróis das luzes, acreditamos que superaram trevas, caos e precipícios, que triunfaram sobre a desordem animal, que acederam à paz de uma palavra regrada e de um pensamento ordenado. Gostaríamos de acreditar nisso. É fácil admitir que um pintor, um músico ou um poeta se aproxima da loucura ou se perde nela. Mas é mais difícil conceber que um artesão dos conceitos esteja sujeito a eclipses de consciência e a retornos à infância.

O mais perturbador, e portanto mais interessante, a respeitos dos textos autobiográficos de Louis Althusser é que eles levam a pensar sobre a ligação da obra teórica à evolução psíquica mais íntima do autor. O próprio filósofo se faz essa pergunta, insólita e insolúvel, sobre os entrelaçamentos da reflexão filosófica com a história dos afetos.

Em *L'avenir dure longtemps*, sua "traumabiografia", ele afirma querer se ater ao relato de sua história psíquica. A trama de sua explicação afirma que o pai ausente ou distante, a mãe "mártir" – que ama em Louis, o filho vivo, o outro Louis, morto, que deveria ter sido seu marido – fazem dessa criança que ocupa o lugar de um morto um "*typapart*".*

---

* Um "sujeito à parte", expressão que Althusser utiliza para definir a si mesmo. (N.T.)

Mas por que filósofo? Ser filósofo, ele escreve, responderia ao desejo da mãe de que ele tivesse uma mente pura. Ser filósofo marxista afirmaria seu desejo pessoal de ser um corpo autônomo, em contato com a "realidade nua". Tornar-se um teórico em ruptura com a ortodoxia stalinista satisfaria o sonho de transformar o mundo permanecendo na solidão e na abstração, bem como a necessidade de submissão e de provocação em relação à autoridade paterna.

A posição de Althusser na vida intelectual e política de seu tempo corresponde, em linhas gerais, ao seguinte esquema: solitário e influente, isolado na École Normale como Descartes em seu quarto aquecido ou Wittgenstein na cabana norueguesa, ele está tanto dentro quanto fora do Partido, dando mostras, à distância, de uma ciência da conjuntura que ele mesmo atribui à tribulação de sua história infantil. A concepção da história como "processo sem sujeito nem fim", a análise dos "aparelhos ideológicos do Estado" (família, escola etc.), o anti-humanismo teórico, condição a seu olhos para um humanismo real, entram em ressonância com a configuração de suas estruturas psíquicas. A fantasia de desaparecimento no anonimato poderia ser aproximada tanto do conteúdo de sua obra quanto "do silêncio e da morte pública" em que o assassinato o encerrou.

O relato de Althusser constitui, portanto, uma das raríssimas ocasiões em que um filósofo se interroga, de maneira explícita, sobre a ligação existente entre suas construções racionais e as obscuras implicações desse outro cenário que escapa a seu controle consciente. Na história do pensamento posterior a Freud, foi uma das raras vezes em que esse problema foi abordado com acuidade. No entanto, o resultado é belo demais para convencer. É como se não conseguíssemos unir todos os fios dessa história. O enigma continua.

Talvez seja isso, no fim das contas, que fascine e chame a atenção: o enigma. Diante dessa vida em desordem, que subitamente surge da sombra em que a obra e as instituições a haviam mantido, temos a mesma sensação que o real tantas vezes provoca: a impressão de não conseguir compreender, de sempre ver uma face das coisas se esquivar, de continuar contemplando essa estranheza apenas porque... "assim é" – como disse o jovem Hegel diante dos Alpes berneses.

A filosofia sempre parte disso: ela começa com esse espanto, mas tenta escapar a seu caráter ininteligível. O caso de Althusser nos devolve a ele. Quanto mais sabemos, menos temos clareza. Entre filosofia e loucura, a fronteira, nesse caso, se esfumaça de maneira perturbadora.

Um desejo de revolução

Independente do caso do homem Althusser, o pensamento de inspiração marxista e de aspiração revolucionária parece conhecer, após uma época de eclipse, um novo ímpeto. Esse *revival* se dá sobretudo entre os pensadores franceses. Os franceses por muito tempo foram considerados, na história europeia, homens políticos. O grande sismo de 1789 os colocou no centro da história moderna. O século XIX viu esses criadores heroicos e rebeldes temerários se lançarem, mais de uma vez, ao assalto do céu.

Das Revoluções de 1830 à Comuna de Paris, passando pela Revolução de 1848, esse povo se insurgiu muitas vezes. Não foi sem razão que Marx, Engels e Lênin consideraram as mentes francesas, mais ou menos exaltadas, como referências para as grandes revoluções do futuro.

No fim do século XX, a situação era bem diferente. A história constatara que "construir um homem novo" e "dividir em duas partes a história do mundo" não eram utopias agradáveis, capazes de mobilizar energias entusiasmadas, mas ideias mortíferas. A revolução, proletária ou não, permanente ou cultural, não era apenas irrealizável. Ela era nefasta. Era preciso perder a esperança nela, totalmente, para se dedicar às lutas a serem enfrentadas – combates locais, parciais, que podiam parecer indignos ou ridículos em comparação com o grande apocalipse que supostamente mudaria tudo. Mas que tinham a modesta vantagem de serem possíveis.

Depois de longos anos banalmente republicanos e parlamentares, a França começa, aqui e ali, a sonhar de novo com a revolução última. Vemos o renascimento e a amplificação do voto de protesto em favor de agremiações de extrema esquerda, discursos anticapitalistas, matizados por mil nuanças altermundialistas ou ecologistas. "Não" à Constituição da Europa, motins nos subúrbios, mobilizações e manifestações constantes aproximam correntes heteróclitas. Entre elas, diferenças profundas – a respeito do lugar das lutas das mulheres, da homossexualidade, da herança republicana. O principal ponto de contato, sem dúvida, é a atitude para com o islamismo, que uns apoiam e outros combatem, definindo assim duas culturas políticas distintas.

Também não há unidade entre os teóricos, exceto a vontade de pensar a respeito do mundo atual para derrubá-lo com mais eficácia. Daniel Bensaïd, Antonio Negri, Alain Badiou, Étienne Balibar,

Jacques Rancière ou Slavoj Žižek divergem em suas interpretações da história contemporânea, da construção europeia ou do sentido da democracia. Mas seu programa comum é acabar com o mundo de hoje, substituí-lo por outro, radicalmente diferente.

Podemos nos interrogar sobre o retorno dessa radicalização. Sonha-se de novo com a revolução por lucidez, como dirão seus adeptos, ou por cegueira? Por desejo de vida ou sob efeito da pulsão de morte? Por vontade de emancipação ou por gosto do niilismo? Há uma grande segmentação, como diriam os publicitários.

De Althusser, o que ler primeiro?

Pour Marx. Paris: La Découverte, 2006.

E depois?

L'avenir dure longtemps. Paris: Stock, 2007.

Sobre Althusser, o que ler para ir mais longe?

MOULIER-BOUTANG, Yann. *Louis Althusser, t. I: 1918-1945, t. II: 1945-1956*. Paris: Le Livre de poche, 2002.

BOURDIN, Jean-Claude. *Louis Althusser, lecteur de Marx*. Paris: PUF, 2008.

☞ *Com Althusser, tenta-se situar Marx dentro de uma ciência da história.*

☞ *Com Lévi-Strauss, a vontade de constituir uma reflexão científica se afirma, mas a história é deixada de fora.*

- **Nome: CLAUDE LÉVI-STRAUSS**
- **Ambiente e meio**

O 16º arrondissement de Paris, as florestas equatoriais do Mato Grosso e Nova York durante a Segunda Guerra Mundial são alguns dos lugares em que se desenrola uma das maiores obras do século XX.

- **12 datas**

1908 Nasce em Bruxelas, numa família de artistas.
1931 *Agrégation* de filosofia.
1938 Missões na Amazônia.
1941 Cassado pelas leis antissemitas de Vichy, exila-se em Nova York.
1948 Publica *As estruturas elementares do parentesco*.
1951 Publica *Raça e História*.
1955 Publica *Tristes trópicos*.
1959 Eleito para o Collège de France.
1962 Publica *O pensamento selvagem*.
1993 Publica *Olhar, ouvir, ler*.
2008 Exposição e múltiplas homenagens por ocasião de seu centenário.
2009 Morre em Paris, em 20 de outubro.

- **Conceito de verdade**

A verdade, para Lévi-Strauss:
nunca é dada diretamente, reside nas estruturas que explicam as transformações, pode ser reconstituída por um trabalho metódico de comparação.

- **Uma frase-chave**

"Cada progresso traz uma nova esperança, atrelada à solução de uma nova dificuldade. O dossiê nunca está concluído."

- **Posição ocupada no pensamento contemporâneo**

Fundamental, pois sua obra não se limita a uma renovação decisiva das pesquisas em antropologia: ela também abre múltiplas perspectivas para as reflexões filosóficas sobre o funcionamento da mente, a diversidade humana, as relações dos homens com a natureza e dos homens entre si.

Capítulo 15

ONDE CLAUDE LÉVI-STRAUSS DERRUBA A IDEIA DE UMA ÚNICA VERDADE HUMANA

Claude Lévi-Strauss não acredita no progresso tal como imaginado no século XIX. A seus olhos, existe uma multiplicidade de critérios para julgar as sociedades humanas e seus êxitos. Nosso erro consiste em aplicar as normas do Ocidente científico e industrial ao mundo inteiro. Deveríamos levar em conta vários tipos de normas, vários projetos humanos – nem mais nem menos legítimos que os outros.

Sua antropologia traz à luz os afastamentos e as diferenças irredutíveis que tornam o mundo plural. Não existe uma verdade única ao humano. Esse, sem dúvida, é seu ponto central. Parece modesto, mas tem a imensa vantagem de libertar o pensamento do modelo dominante.

Discretamente, Claude Lévi-Strauss revoluciona os quadros mentais, interligando as disciplinas. Vindo da filosofia, ele frequenta os antropólogos mas utiliza as ferramentas dos linguistas. Filho da Europa, no Brasil faz sua primeira pesquisa e nos Estados Unidos forja seu método. Ela nunca aceita ser limitado pelas fronteiras geográficas ou divisões dos saberes.

Acima de tudo, Lévi-Strauss detesta a arrogância dos que se acreditam civilizados e proclamam que os outros não o são, ou que o são menos. Para o antropólogo, sua disciplina é um humanismo: "Ao procurar a sua inspiração no seio das sociedades mais humildes e por muito tempo desprezadas, ela proclama que nada de humano pode ser estranho ao homem". Mas esse humanismo não é o mesmo dos gregos e dos romanos, do Renascimento e do Ocidente. Trata-se de "um humanismo democrático que ultrapassa aqueles que o precederam: criados para privilegiados, a partir de civilizações privilegiadas". Esse olhar aberto e multipolar também engloba a natureza. Interdisciplinar, ecológica, subversiva e científica, a antropologia "leva à reconciliação do homem e da natureza, num humanismo generalizado". Foi assim que o pensador transformou as maneiras de pensar o humano.

Com paciência e método. Pois ele soube transformar sua revolta intelectual em um trabalho de fundo, animado por uma vontade de compreender inabalável. Paradoxalmente, é essa vontade de saber que o faz abandonar a filosofia. Aluno da École Normale, *agrégé*, jovem professor no liceu de Mont-de-Marsan, depois em Laon, ele achava que a filosofia não oferecia nada de suficientemente positivo para satisfazê-lo de maneira permanente. Às dissertações ele preferirá os métodos minuciosos e se orientará para o pensamento científico.

Não existe povo criança

Esse trabalho científico, porém, concerne ao mundo humano. Este em que vivemos, onde estamos todos submetidos a constrições educativas, a regras de parentesco, de sintaxe, de cozinha ou de construção dos relatos. Desse universo de normas e símbolos, Claude Lévi-Strauss revela aspectos até então despercebidos. O que ele traz à luz – com mais acuidade que muitos filósofos – são as verdades do humano. Nesse sentido, ele enriquece a reflexão com perspectivas novas sobre as leis do espírito, enfatizando como culturas diferentes utilizam a razão de maneira idêntica.

Pois o pensamento que chamamos "selvagem" não é menos sutil, nem menos elaborado, nem menos inteligente que o pensamento científico. Eis um dos resultados mais importantes desse imenso edifício. Desaparece o mito dos "primitivos" inventado pelo olhar dos conquistadores. Fim da mentalidade bruta, pré-lógica e risível, que a condescendência dos "civilizados" havia atribuído aos povos sem escrita. Para a filosofia, é também uma importante lição: não existe povo criança, e muito menos um tornar-se adulto para a humanidade.

Também devemos a Lévi-Strauss a renovação da abordagem das relações entre concreto e abstrato: um cesto, uma máscara, um adereço não são mais, depois dele, coisas mudas e negligenciáveis. Esses objetos começam a falar quando comparados a outros, quando inseridos num conjunto, quando iluminados pelo jogo de semelhanças e diferenças, ligados às histórias contadas sobre eles. Eles se revelam portadores de sentido. Elementos de discursos, vetores de inteligência e não matéria inerte. Assim, a velha cisão entre sensível e inteligível – mundo das coisas, mundo das ideias – é retrabalhada e questionada, e, em certo sentido, contornada. Ela era, desde Platão, um eixo fundador da filosofia ocidental. O impacto de Lévi-Strauss, aqui também, é decisivo.

Principalmente porque essa antiga linha divisória entre inteligível e sensível instaura a demarcação das ciências e das artes: de um lado, ideias e raciocínios, do outro, sensações e emoções. Modificando essa clivagem, Lévi-Strauss acaba transformando profundamente a abordagem da criação. Sua contribuição para a estética, sob esse ponto de vista, sem dúvida ainda não foi plenamente avaliada. No entanto, toda a sua trajetória explora essa abolição das fronteiras.

Pois esse cientista é artista, esse pesquisador é escritor, esse pensador é estilista. Não em dois momentos diferentes, que refletem duas atividades separadas ou duas faces. Pelo contrário: com um único e mesmo gesto, com uma abordagem única, que mescla, em combinações singulares, às vezes desconcertantes, a pureza clássica da língua e a novidade das análises, o rigor das demonstrações e a força das metáforas.

Um cientista do mundo

"Minha carreira foi decidida num domingo do outono de 1934, às nove horas da manhã, com um telefonema", escreve Lévi-Strauss no início do Capítulo 5 de *Tristes trópicos*. Do outro lado da ligação: Célestin Bouglé, que dirige a École Normale Supérieure e tem por Lévi-Strauss uma "indulgência um pouco distante e reticente". O que não o impede de propor-lhe que se torne professor de sociologia em São Paulo. "Meu pensamento escapava a essa exsudação em compartimento fechado a que a prática da reflexão filosófica o reduzia."

Começa, então, uma verdadeira aventura. Física, em primeiro lugar. Pois além das aulas o jovem etnólogo, acompanhado da primeira mulher, Dina Dreyfus – também filósofa e etnóloga –, fez várias missões à Amazônia e uma importante expedição ao Mato Grosso. Numa época de caminhadas intermináveis ao lado de mulas e carros de boi, rodeado pelo calor úmido e pelos insetos. Numa época também de aventura psíquica, de desapropriação de si, de tornar-se outro. Não é por acaso que Lévi-Strauss, pouco inclinado a efusividades espirituais, falará mais tarde da necessária "conversão" do etnólogo. Observar os outros implica descentramento de si.

Durante esses anos de pesquisa de campo – as únicas de toda a sua trajetória –, Lévi-Strauss acumulou anotações, observações, apontamentos de todos os tipos. No entanto, ele ainda não sabia exatamente o que pensar de tudo o que via e registrava. Ele já sabia que "a verdade de uma situação não se encontra em sua observação cotidiana". Ainda lhe faltavam alguns detalhes essenciais. Foi em Nova York, durante os anos de guerra, que ele os descobriu.

Cassado do ensino pelas leis antissemitas de Vichy, Lévi-Strauss deixou a França em 1941 para se refugiar em Nova York, uniu-se à organização France Libre em 1942 e se tornou locutor do Office of War Information antes de dar aulas na New School for Social Research. Na época, ele se fazia chamar pelos alunos de Claude L. Strauss. Haviam-no aconselhado a evitar a homonímia com a marca de jeans...

Os anos nova-iorquinos foram decisivos. Ali, conviveu com André Breton, que conheceu no barco que saiu de Marselha em direção aos Estados Unidos, e também Marcel Duchamp, Max Ernst. Acima de tudo, descobriu o método estrutural e começou a perceber que ele podia metamorfosear o campo da antropologia. Foi Roman Jakobson quem o levou aos princípios da fonologia estrutural, que ele próprio aprendera com o "Príncipe Trubetzkoy" (Jakobson sempre o chamava assim). "Para mim", dirá Lévi-Strauss, "foi uma iluminação."

O método estrutural

Para apreender seu alcance, é necessário lembrar o que "estrutura" significa nesse contexto. O termo é utilizado em arquitetura para designar o esqueleto das construções e sua organização. Decorre disso a ideia, banal, de uma interdependência entre os elementos – que podem, além disso, estar divididos, interligados e hierarquizados de diferentes maneiras. É nesse sentido que se falava em "estruturas sociais" bem antes do método estrutural e do estruturalismo.

Para compreender os princípios do estruturalismo, é preciso lembrar como Trubetzkoy, fundador do estudo estrutural dos sons da língua (os fonemas), mostrou que esses sons devem ser estudados em conjunto, como um sistema, e não um por um. Em si mesmo, cada som considerado isoladamente é desprovido de sentido ("d" ou "t" não significam nada).

Os sons de uma língua funcionam como elementos de diferenciação recíproca: "d" não se confunde com "t", e vice-versa. Nesse sistema, somente certas diferenças são pertinentes. Por exemplo, para um francófono, entre "dette" e "dot", não há confusão possível. Mas se o primeiro for pronunciado "dét'", "dèt" ou "daîte", o significado não mudará. Em contrapartida, em outras línguas que não o francês, algumas dessas diferenças podem distinguir termos.

A descoberta consiste na construção de um sistema de classificação dos sons de uma dada língua, os fonemas que ela utiliza, reduzindo os princípios de organização à combinação de algumas características sonoras (consoantes dentais, labiais etc.). Esquematicamente, portanto, uma estrutura é um modelo construído sob medida para explicar a organização subjacente dos fenômenos observados, enquanto essa organização, que age efetivamente, não é conhecida.

Todos falam uma língua materna, utilizam de maneira pertinente o sistema de diferenças de sons próprio dessa língua, sem tomar consciência dele. O que a fonologia estrutural mostra a Lévi-Strauss é que é possível, no campo das ciências do homem, conceber um modelo abstrato que corresponda exatamente à realidade, permitindo explicar a diversidade e as relações, apesar desse modelo nunca se manifestar diretamente no campo da observação, nem na consciência dos indivíduos.

As ciências duras estavam acostumadas com isso. A classificação periódica dos elementos, por exemplo, explica as diferenças entre as composições atômicas apesar de ninguém vê-las na natureza. Por outro lado, nenhum cientista tinha consciência de sua existência antes de elas serem descobertas. Agora, no caminho que leva à construção de um modelo que torne o sensível inteligível, as ciências exatas não estão mais sozinhas. Graças ao método estrutural, o campo do humano parece começar a se tornar passível de modelização. Claude Lévi-Strauss está convencido disso.

Da ciência à literatura

O período de 1945 a 1955 sem dúvida foi o mais complicado de seus longos anos de aprendizado. No âmbito científico, o terreno havia sido preparado, as primeiras ferramentas haviam sido adquiridas. Na cena pública, *Raça e história*, de 1952, o fez ser notado devido à crítica à supremacia ocidental. Restava-lhe experimentar a literatura. Quando Jean Malaurie, que criou na editora Plon a coleção "Terre humaine", convidou-o a escrever o relato de suas viagens antes da guerra, Lévi-Strauss aceitou e escreveu em quatro meses uma obra-prima, *Tristes trópicos*, que fez um imenso sucesso.

Trata-se de um ensaio rutilante, inclassificável e magnífico, que não perde o encanto e deixa o leitor maravilhado. As vendas foram excepcionais e o livro tornou o nome de Claude Lévi--Strauss conhecido do grande público. À primeira vista, o texto descreve o surgimento de uma vocação e três viagens: ao Brasil, entre os Bororo (1935-1936) e os Nambiquaras (1938), e à Índia e ao Paquistão (1950). Esse diário de viagem começa com uma frase que se tornou célebre: "Odeio as viagens e os exploradores". Ele se desenvolve numa série de meditações sobre o saber, os desastres do planeta, a destruição da diversidade humana. Lévi-Strauss se preocupa com a ecologia muito antes de essa palavra chegar à ordem do dia.

Sem ser realmente científico, nem explicitamente filosófico ou simplesmente literário, e no entanto tudo isso ao mesmo tempo, esse livro surpreendente trata acima de tudo do mal--estar da modernidade. No primeiro plano de reflexão: a morte do exotismo e da diversidade, o fim das viagens de antigamente, na época em que os "outros" ainda existiam. Mas dentro dessa trama se desenvolvem tantas reflexões, observações ou digressões que é difícil classificar *Tristes trópicos* sob um gênero conhecido. Seria uma "autobiografia intelectual"? Uma reflexão sobre o conhecimento dos antropólogos, sua curiosa densidade e vã ambição? Um divertimento científico sobre a pluralidade dos mundos humanos, sua igual dignidade mas desigual poder de destruição? Uma denúncia de nossa presunção? Uma constatação do fracasso da civilização?

Combinando todas essas dimensões, Lévi-Strauss inventou um objeto pensante não identificado, sempre com um estilo notável, seco e abundante, sóbrio e generoso, nervoso e amplo. Como dizer, por exemplo, que a aldeia bororo, de folhagens enlaçadas e trançadas, mantém com os corpos relações completamente diferentes das de nossas cidades? "A nudez dos habitantes parece protegida pelo veludo herbáceo das paredes e pela franja das palmeiras: eles se esgueiram para fora de suas casas como se despissem gigantes roupões de avestruz."

Não espanta que, naquele ano, o júri do Prêmio Goncourt tenha publicado um comunicado expressando sua lástima por não poder premiar um ensaio... De seu brilho, quase nada se perdeu. Lévi-Strauss fala dos sonhos de grandeza da França, da incompreensão tenaz de nossa sociedade em relação às realidades do mundo que a cerca. Ele diagnostica o declínio do mundo humano, a anulação acelerada das diferenças, o declive rumo à indiferenciação, denuncia a irremediável devastação dos ecossistemas pela avidez estúpida de uma espécie pouco sensata. Tudo isso, cinquenta anos depois, revela-se mais atual do que à época.

De certo modo, esse clássico contemporâneo continua sendo um célebre desconhecido. Páginas de *Tristes trópicos* figuram em inúmeros manuais de filosofia ou literatura. Certas passagens, como a "lição de escrita", se tornaram excertos de antologia. No entanto, as observações mais duras com frequência são esquecidas, especialmente a seguinte, nas últimas páginas: "O mundo começou sem o homem e acabará sem ele". Lévi-Strauss esboça uma das concepções de história e do humano mais desencantadas que existem. Mesmo assim, ele recusa a atitude absolutamente niilista.

Após a publicação de *Antropologia estrutural* (1958), coletânea de estudos que confirma sua envergadura científica, Lévi-Strauss é eleito para o Collège de France. Ele segue então, sem interrupções, o próprio caminho. Tem início, para ele, o tempo das obras, pontuado por construções monumentais (os quatro volumes das *Mitológicas* e os três livros que as prolongam), do trabalho cotidiano no laboratório de antropologia social que ele funda em 1960, da direção da revista *L'Homme*, criada no ano seguinte, da eleição para a Academia Francesa em 1973.

Que lições?

A primeira lição a tirar de sua obra é de método: nenhum elemento é compreensível isoladamente. Isso é verdade a respeito das regras de parentesco, mas também dos mitos, dos totens, das máscaras. Cada vez que dá início a uma investigação, Lévi-Strauss se dedica a estudar um conjunto. À primeira vista, reinam caos, disparidades infinitas e dissemelhanças irreconciliáveis. A ordem oculta, subjacente, é construída na medida dos progressos da observação, a partir do inventário paciente das diferenças, dos afastamentos, das inversões que se tornam discerníveis na multiplicidade de dados concretos.

Nenhum esquema predefinido é justaposto à diversidade do real. As estruturas não são impostas de fora, ele são descobertas e construídas aos poucos, a partir dos fatos observados. Por exemplo: como relacionar, grupo por grupo, 813 mitos ameríndios? Deixando de se preocupar com o que eles dizem, afastando o detalhe específico das histórias para interessar-se apenas pela armação lógica da narração, pelas relações entre as unidades constitutivas dos relatos. As histórias contam menos do que as relações entre as séries de elementos.

O pensamento veiculado pelos mitos considerados em conjunto é diferente daquilo que cada mito conta em particular. E cada grupo de mitos, por sua vez, não tem significado quando considerado isoladamente: ele precisa ser relacionado e comparado com outros grupos de mitos. Vemo-nos, portanto, diante de uma multiplicidade de níveis que só adquirem sentido a partir de suas relações e transformações. Resultado perturbador, pois essa imensa rede de permutações e remissões evidentemente não é organizada por ninguém, nem mesmo conhecida por nenhum daqueles que transmitem os mitos. Daí a ideia de que os mitos se pensam uns aos outros, independentemente dos indivíduos que os recitam ou modificam.

Entre a aparente frieza das análises estruturais e a luxúria carnal dos mitos, o contraste também levanta questionamentos. De um lado, amplos quadros de transformação, tabelas de análise sofisticadas, dispositivos formais altamente intelectualizados. Do outro, corpos que se metamorfoseiam, excrementos de todos os tipos, uniões sexuais fantásticas. Aqui, serve-se para o jantar das jovens esperma ressecado. Ali, oferece-se às irmãs sangue cozido. Acolá, avista-se a vulva vermelha da heroína que tropeça, enquanto em outra história essa vulva é branca. Um herói urina, uma gota cai dentro da boca de uma virgem e a engravida. Em outro lugar, alguém peida no rosto do herói. Mil vezes se trata da união dos sexos, da geração da vida, da saída do ventre materno. Diante desses sonhos carnais, as estruturas parecem desenhos abstratos. Trata-se, em parte, de um mal-entendido.

Existe, ao que tudo indica, uma distância irredutível entre os mitos e sua análise, entre essas fantasmagorias e o estudo racional e minucioso do qual eles fazem objeto. Mas não podemos esquecer que essa matemática do imaginário só é construída para melhor compreendermos a força e o alcance desses devaneios coletivos. De fato, a oposição simplista entre realidade variegada e abstrações teóricas, nesse caso, é impertinente. Se pensarmos passar ao lado da carne do mundo porque nos ocupamos das estruturas, não teremos entendido nada.

Pois é exatamente o oposto. É mergulhando no concreto, nos detalhes – coloridos, escatológicos ou microscópicos –, que se torna possível elaborar a organização estrutural que permite vê-los melhor, apreender pertinência e profundidade, singularidade e associação. Desse ponto de vista, o caminho do antropólogo vai, de certo modo, do sensível ao sensível por meio do inteligível.

Talvez seja nesse caminho que possamos encontrar a chave para a abordagem de Lévi-Strauss. Ela consiste em recusar as divisões habituais, os "ou isso, ou aquilo" simplificadores – evidentes demais, aceitos depressa demais – que impedem de ver a diversidade do mundo. Objetos e ideias não formam dois mundos. Imaginação e reflexão também não. Tampouco emoção e lógica. Nem história e estrutura, ou primitivos e ocidentais. Pensar a diversidade é conseguir devolver esses elementos a seus respectivos lugares – sem anular as diferenças ou afastamentos, sem privilegiar indevidamente apenas um dos dois. Se mantivéssemos em mente essa exigência, veríamos que a maioria das oposições atribuídas a Lévi-Strauss decorrem de mal-entendidos ou são indevidas.

Como a oposição entre estrutura e história. Alguns, dentre os quais Sartre, julgaram perceber um antagonismo irredutível entre a imutabilidade subterrânea das estruturas e o surgimento dos acontecimentos na realidade histórica. Para superar esse dilema, Sartre imagina, na *Crítica da razão dialética*, que os atores da história se reapropriam, para transcendê-las, das limitações estruturais que pesam sobre eles. Isso é dar importância demais à vontade e à consciência, Lévi-Strauss enfatiza, não sem ironia, em *O pensamento selvagem*.

De fato, não se trata de negar a história ou de privilegiar estruturas imutáveis que reduzem os acontecimentos históricos à condição de ondulações na superfície. Lévi-Strauss deseja, pelo contrário, preservar uma dupla diversidade. Primeiro a das sociedades que se querem imóveis em relação àquelas que sempre se sonham novas, pois há menos sociedades "frias" e "quentes" do que representações coletivas opostas. Os povos primitivos querem que o amanhã seja como ontem, que a ordem estabelecida dure para sempre. As sociedades industriais querem um futuro sempre diferente do passado, e valorizam a inovação, a mudança, a ruptura.

No fim das contas, Claude Lévi-Strauss foi um explorador do humano não por ter percorrido o Mato Grosso, dormido ao ar livre ou visitado o Japão. Tampouco por ter falado, melhor do que ninguém, sobre casamentos, totens, mitos ou máscaras. Nem por ter conjugado, da maneira mais rara, os rigores do trabalho teórico às elegâncias do estilo. Foi por ter trazido à luz, com uma sólida clareza, os mecanismos simbólicos essenciais, até então despercebidos, que tecem as vidas, os relatos, as criações e as emoções dos seres humanos.

De Lévi-Strauss, o que ler primeiro?

Raça e história. Tradução de Inácia Canelas. Barcarena: Presença, 2000.

E depois?

Tristes trópicos. Tradução de Rosa Freire d'Aguiar. São Paulo: Companhia das Letras, 1996.

O pensamento selvagem. Tradução de Tânia Pellegrini. Campinas: Papirus, 1989.

Um volume de Œuvres foi publicado pela coleção "Bibliothèque de la Pléiade", da editora Gallimard, em 2008.

Sobre Lévi-Strauss, o que ler para ir mais longe?

CLÉMENT, Catherine. *Claude Lévi-Strauss*. Paris: PUF, 2010. (Coleção "Que sais-je?".)

DEBAENE, Vincent; KECK, Frédéric. *Claude Lévi-Strauss, l'homme au regard éloigné*. Paris: Gallimard, 2009. (Coleção "Découvertes".)

PERRIN, Marcel Hénaff. *Claude Lévi-Strauss, le passeur de sens*. Paris: Tempus, 2008.

Sexta parte

QUANDO O HOMEM PARECE SE APAGAR

Uma crise multiforme percorre todo o século XX: a da representação do humano. A concepção clássica, proveniente do Renascimento e do Iluminismo, se revela ultrapassada. As guerras acabam com as esperanças fundadas no humanismo. Não é por acaso que os dadaístas, depois os surrealistas, praticam o *nonsense*, a derrisão total, a desestruturação da linguagem e das obras. Muitos têm a sensação de que tudo o que dava sentido ao mundo se desagrega à medida que se impõe uma onipresente desumanidade.

Como um fio condutor, o questionamento do humanismo invade as grandes escolas de pensamento. Em linhas gerais, é possível distinguir dois campos. No primeiro se encontram todos os que querem acabar com as concepções antigas, considerando-as responsáveis pela crise moderna. É o caso de Heidegger, notadamente, cuja *Carta sobre o humanismo*, dirigida a Jean Beaufret em 1947, constitui um ataque virulento ao racionalismo e pensamentos do sujeito. Um intenso anti-humanismo também anima os pensadores estruturalistas, que veem na soberania do sujeito uma teia de erros e ilusões.

No segundo campo, os que querem restaurar o humanismo, renová-lo ou preservá-lo, ou construir um novo. É o caso de Bergson, na época em que ele se dedica ao Comitê Internacional de Cooperação Intelectual da Liga das Nações, e de Paul Valéry, mais tarde. A questão de saber sobre que bases elaborar um conjunto de valores para tempos difíceis e de mecanização não cessa de se colocar.

De certo modo, é nessa paisagem de crise dos conceitos de humano que se inscrevem os três mestres do pensamento de que falaremos agora. Por mais diferentes que eles sejam, os três pensam a partir dessa crise. É sob o pano de fundo desses conflitos que se inscrevem suas obras.

Gilles Deleuze, grande leitor de Nietzsche, poderia ter tomado para si a máxima: "O homem é algo a ser superado". Um dos eixos de sua obra é tentar sempre pensar além, alhures, e de outro modo que não por meio da concepção de homem herdada da Era da Razão. É sob essa perspectiva que convém compreender suas análises das "máquinas desejantes", do "devir-animal" ou do rizoma.

Michel Foucault, depois da "morte de Deus" anunciada por Nietzsche, anuncia em *As palavras e as coisas* (1965) uma "morte do homem". A máxima levou a vários mal-entendidos. Ela não significa, obviamente, que a espécie humana desapareceu, mas que uma certa representação do homem – como centro de referência, objeto de saber, princípio de explicação – foi abandonada pelas ciências humanas. Apesar do nome, estas não

Introdução

se preocupam com o homem, mas com a linguagem, o trabalho ou as pulsões.

Emmanuel Levinas não se inscreve no mesmo espaço. Conhecendo os limites e lacunas do humanismo, ele quer recriá-lo, transformá-lo num "humanismo do outro homem", segundo o título de seus principais livros. Depois do Holocausto e do triunfo do desumano, trata-se de trazer à luz a certeza imediata do respeito ao outro, a preocupação com o estrangeiro, a precedência concedida ao outro – tudo o que o nazismo se esforçou em negar.

- **Nome: GILLES DELEUZE**
- **Ambiente e meio**

Solitário na universidade francesa, o filósofo encontrou um público importante em inúmeros artistas e criadores na última fase da vida.

- **7 datas**

1925 Nasce em Paris.
1944-48 Estudos de filosofia em Paris.
1969 Publica *Diferença e repetição* e *Lógica do sentido*.
1969-1987 Dá aulas na Université Expérimentale de Paris VII (em Vincennes, depois em Saint-Denis).
1972 Publica, com Félix Guattari, *O anti-Édipo. Capitalismo e esquizofrenia*.
1983-85 Publica *A imagem-movimento*, depois *A imagem-tempo*, dois livros sobre a filosofia do cinema.
1995 Suicídio em Paris, em 4 de novembro.

- **Conceito de verdade**

A verdade, para Gilles Deleuze:
é questão de intensidade e de afeto, mais do que de pura lógica,
se inscreve em lutas,
se desenvolve por hibridização e mestiçagem.

- **Uma frase-chave**

"Nós somos desertos, mas povoados de tribos, faunas e floras."

- **Posição ocupada no pensamento contemporâneo**

À parte, na medida em que seu pensamento não se inscreve em nenhuma escola já existente e está sempre criando novos conceitos. A influência de sua abordagem se mantém profunda e poderá crescer no futuro.

Capítulo 16
Onde Gilles Deleuze inventa o "devir-animal" e as alegrias da velocidade

Deleuze está sempre invocando a alegria e a velocidade, para experimentá-las, pensá-las juntas, uma por meio da outra. O que isso pode significar? Para compreender, é preciso começar por não confundir alegria com ausência de esforço ou euforia. A alegria, diz Deleuze, também pode vir, em certas circunstâncias, do que é horrível, aterrorizante ou mortal. Por outro lado, é preciso evitar confundir velocidade com rapidez. As velocidades de Deleuze envolvem intensidades, evoluções, e não pressa ou inexatidões. Abrir caminho para alegrias novas, acompanhar seu devir, combater o que as entrava, respeitar suas velocidades próprias, este é o trabalho daquele que chamamos "filósofo", para Deleuze. Essa velha palavra, portanto, não deve designar apenas um professor que ensina a história das doutrinas.

Esse, ao menos na aparência, é o trabalho de Gilles Deleuze. Ele nunca deixou de ser professor, com exceção dos quatro anos passados no CNRS. Deu aulas em liceu, na Sorbonne, na Universidade de Lyon e depois na de Vincennes, que por fim foi transferida para Saint-Denis. Suas aulas eram cada vez mais "atípicas", como se diz quando não se sabe que adjetivo usar. A maneira como ele abordava os filósofos, aliás, nunca foi ortodoxa. Deleuze ensinava o empirismo de Hume, a ética de Spinoza, o sistema de Kant ou a abordagem de Nietzsche traçando sua própria trajetória de meteoro sem nome.

Ele confessava, rindo, fazer um "filho pelas costas" de todos esses respeitáveis pensadores. Ele de fato subvertia a história da filosofia enquanto disciplina restrita, mais ou menos compassada. Para explicar um pensamento, Deleuze reordenava as perspectivas, subvertia a ordem habitual, fazia surgir uma nova luz. Os pensamentos e os sistemas continuavam os mesmos. Mantinham seus traços. Mas apresentavam um rosto diferente, inesperado, às vezes desconcertante.

Assim é seu primeiro livro, *Empirismo e subjetividade*, publicado em 1953. O pensamento sobre a imanência, a análise das sensações combinadas, as desmontagens dos agenciamentos que formam o sujeito vêm de Hume. No livro, porém, eles vêm apenas de Deleuze. Mesmo estratagema com Spinoza, com Nietzsche. Deleuze os pinta como irmãos que se assemelham a ele: inimigos das paixões tristes, pensadores de corpo magro, fraco e doente, mas totalmente tensionado e preenchido por uma grande saúde afirmativa.

Esse desejo vivo é outro nome para a alegria: o filósofo combate aquilo que o entrava, que o impede de exibir sua força. Os obstáculos? A seus olhos, a transcendência e a tristeza. A velocidade não se separa dessa alegria: Deleuze se apodera dos sistemas e os faz rodopiar, ele os acelera, desacelera, atiça com movimentos inesperados. O método de leitura e os autores de predileção de Deleuze o colocam à parte na filiação "normal" da filosofia.

Ele tenta a todo custo escapar ao que pesa excessivamente sobre os intelectuais dos anos 1950 e 1960: Marx e o comunismo, Heidegger e a história do Ser, Hegel e a história em si. Ele nunca cai na deploração do "fim da filosofia" nem na ilusão do progresso em curso.

Apenas ideias

Essa singularidade vem à tona com dois grandes livros publicados em 1969. *Diferença e repetição*, uma tese de modelo clássico, apresenta no entanto um conteúdo que pretende romper com tudo o que foi pensado anteriormente, na história da metafísica, a respeito da identidade e dos acontecimentos. Com *Lógica do sentido*, Deleuze solta as amarras de maneira espetacular: uma referência central aos estoicos é combinada às meninas de Lewis Carroll, Klossowski, Joyce. Os livros de Deleuze, muito complexos, gozam mais de prestígio do que de verdadeiros leitores. Seu verdadeiro impacto ainda está por vir.

A popularidade de Deleuze é resultado de dois livros assinados com Félix Guattari: *O anti-Édipo* (1972) e *Mil platôs* (1980). Mais do que uma crítica à psicanálise ou um enésimo ataque ao capitalismo, devem ser considerados, globalmente, como manifestos da positividade do desejo. Eles fazem o elogio das criações automáticas, dos processos impessoais, das multiplicidades – hordas, bandos – e tentam abarcar com o olhar as grandes máquinas de agenciamento do poder político ao longo da história. Seu dispositivo consiste em multiplicar, fora do domínio humano banalizado, os processos geradores de verdades.

As posições políticas de Deleuze, sistematicamente esquerdistas, são menos interessantes. Seu apoio ao terrorismo das Brigadas Vermelhas não foi feliz. Melhor ficar com a extraordinária fecundidade de suas invenções teóricas. *O que é a filosofia?*, ele e Félix Guattari perguntavam, em 1991. Resposta: criação de conceitos. Esses conceitos recortam e distribuem a realidade de maneiras diferentes. Pouco importa que não se entenda imediatamente o que ocultam "territorialização" e "desterritorialização", "molar" e "molecular", "linha de fuga" ou "dobra". "Não existem ideias justas, justo ideias", responde Deleuze, que também afirma: "Não existe linha reta, nem nas coisas nem na linguagem".

Existem apenas acidentes, incidentes, singularidades, acontecimentos e forças, com os quais nos deparamos e nos combinamos de formas inéditas. É nisso, também, que consiste a alegria deleuziana que repousa em certa relação com o que vem de fora. A força de Deleuze está de fato em mostrar com constância, por mil vias distintas, que o de fora permite secretar alegrias. A filosofia, desde Platão, celebra acima de tudo o reencontro do "de dentro" consigo mesmo, sob a forma da primazia sempre concedida ao Mesmo, à consciência, à identidade, ao conceito.

Em Deleuze, pelo contrário, tudo se orienta para fora. Logo pensamos, com razão, no que está fora da filosofia – seu pensamento de fato viaja para a literatura, a pintura, a música, o cinema. Mas também devemos pensar, e principalmente, no fora da linguagem, do pensável, do perceptível, no fora do sentido e da consciência, no fora da razão. Melhor, ou pior: ainda é preciso acrescentar o fora do humano, as forças impessoais, as vias animais, sem esquecer os mortos.

Todos esses foras, em geral, aterrorizam, asfixiam, paralisam. Deleuze aponta para eles, incansável, como fontes de movimentos inéditos e novas combinações. "Há sempre uma alegria indescritível que emerge dos grandes livros, mesmo quando eles falam de coisas feias, desesperantes ou terrificantes." Se houvesse uma única coisa a reter, seria portanto que o fora pode produzir alegria, e que essa eventualidade é questão de velocidade adequada. Resta tentar compreender mais uma vez o que isso quer dizer. O mais simples é recorrer às aulas de Deleuze, às gravações de sua voz, à sua própria vida.

Variações e fugas

As aulas de Deleuze são uma mina extraordinária de invenções e pontos de vista. Nelas encontramos todos os tipos de esboços que seriam impossíveis em livro. Digressões, jogos de palavras, palavrões, exemplos. Deleuze ensina que é preciso ter em mente, ao ler os filósofos, situações concretas, cenas do dia a dia. Nada de jargões ou de especulações girando em falso.

Ao contrário, casos precisos, gestos cotidianos: cruzar com pessoas na rua e achá-las simpáticas ou desagradáveis sem conhecê-las, estar num quarto escuro procurando os óculos. Também encontramos, de passagem, belas exposições sobre as maneiras de agir dos filósofos para nomear os conceitos (palavras correntes modificadas, termos complicados inventados, dependendo do caso).

Deleuze improvisa variações sobre o "devir-animal", as "máquinas desejantes", as "linhas de fuga", as imagens do cinema e vários outros temas de seus livros. Mas o tom é outro. Pois nas aulas surgem desenvolvimentos inesperados, hesitações ou aproximações eloquentes. Deleuze aparece como um Sócrates, um pensador vivo, rindo, fazendo rir, brincando. Dirigindo-se a um público de jovens que nunca leu Spinoza ou Leibniz e não sabe nem mesmo de quem se trata, Deleuze decreta que essa ignorância não tem nenhuma importância. Ele explica, resume, comenta.

Sábio que fala aos roqueiros, aos traficantes. Que pratica o que ele havia chamado de "filosofia pop". Uma certa maneira de colocar as ideias em movimento, de se interessar mais pelo traçado do que pelo conteúdo, e mais pelos gestos do que pelos objetos. "Afinal", ele diz numa aula sobre Spinoza, "um filósofo não é apenas alguém que inventa noções, ele talvez também invente maneiras de perceber."

É por isso que não é preciso ser filósofo para ler Deleuze. Ele mesmo o afirma em um de seus cursos: "É certo que na minha geração, em média, tínhamos muito mais cultura ou ciência em filosofia, quando a fazíamos. Em contrapartida, tínhamos uma espécie de incultura espetacular em outros campos, em música, em pintura, em cinema. Tenho a impressão de que para vocês a relação mudou, quer dizer, que vocês não sabem absolutamente nada, nada de filosofia, ou melhor, que vocês têm um manejo concreto de coisas como uma cor, que vocês sabem o que é um som ou o que é uma imagem".

Ele diz tudo isso em alta velocidade. Pois essa é sua maneira singular de existir, a velocidade. Ou melhor, a aceleração. Existem regimes de velocidade uniformes e lineares, que nada têm a ver com a de Deleuze. Ele pode ser reconhecido de longe por uma modalidade particular de aceleração. Difícil de descrever.

Vibrante, variável em intensidade e incessante em movimento, ela se apodera dos textos, dos conceitos, do leitor para fazê-los entrar, por sua vez, num movimento imprevisível e como que desprovido de centro. Essa aceleração tem algo de um grande vento, ela é absolutamente agitada, mas não tem interior, nada a encerra. Alguns talvez se lembrem que o jovem Sartre escreveu, ao comentar Husserl: "Se por acaso você entrasse 'dentro' de uma consciência, você seria carregado por um turbilhão e lançado para fora, perto da árvore, no meio da poeira. Pois a consciência não tem 'dentro'". Uma experiência mais ou menos análoga à de um leitor de um texto de Deleuze: não entramos nele, somos carregados por um turbilhão e lançados em novos circuitos.

A importância do riso

Não podemos esquecer do humor de Deleuze. No ano de 1972, em resposta a uma pergunta pretensiosa e complicada que lhe fizeram em Cerisy, ele disse: "Se estou entendendo, você disse que, do ponto de vista heideggeriano, sou suspeito. Fico feliz". O riso é signo da passagem ao de fora, testemunha da aceleração mais viva. "Os que leem Nietzsche sem rir, e sem rir muito, sem rir muitas vezes, e às vezes descontroladamente, é como se não lessem Nietzsche."

Ou: "O riso-esquizo ou a alegria revolucionária é o que sobressai dos grandes livros, em vez das angústias de nosso pequeno narcisismo ou dos terrores de nossa culpabilidade". Preferir, em vez da grande comicidade gerada pelos grandes pensamentos, o retraimento das paixões tristes e o mau páthos do drama é, para Deleuze, sinal de apatia.

Sob o humor, a inquietude. E o diagnóstico lúcido do mundo que se instaura. Por exemplo: "Todos os tipos de categorias profissionais serão convidados a exercer funções policiais cada vez mais precisas: professores, psiquiatras, educadores de todos os tipos etc. Há nisso algo que você anuncia há muito tempo e que pensávamos não poder acontecer: o reforço de todas as estruturas de reclusão". Deleuze fala assim numa entrevista com Michel Foucault. Em março de 1972. Desde então...

Compreende-se que a aceleração é uma maneira de ver o mundo com outros olhos. Aplicaremos a Deleuze, portanto, sem hesitar, aquilo que ele diz sobre alguns gênios. Bergson: "Um grande filósofo é aquele que cria novos conceitos: esses conceitos ultrapassam as dualidades do pensamento ordinário e, ao mesmo tempo, dão às coisas uma verdade nova, uma distribuição nova, um recorte extraordinário". Sartre: "É o destino desse autor trazer ar puro quando ele fala".

Deleuze não falava quase nada de si mesmo. Sua maneira de falar de si era comentar os outros. O eu é inútil para a velocidade.

De Deleuze, o que ler primeiro?

Espinosa: filosofia prática. Tradução de Daniel Lins e Fabien Pascal Lins. São Paulo: Escuta, 2002.

E depois?

Conversações. Tradução de Peter Pál Pelbart. São Paulo: Editora 34, 2013.

O que é a filosofia?, com Félix Guatarri. Tradução de Bento Prado Jr. e Alberto Alonso Muñoz. São Paulo: Editora 34, 2010.

Dialogues avec Claire Parnet. Paris: Flammarion, 2008. (Coleção "Champs".)

Sobre Deleuze, o que ler para ir mais longe?

MARTIN, Jean-Clet. *La Philosophie de Gilles Deleuze*. Paris: Payot, 2005.

BERNOLD, André. *Gilles Deleuze. Approches et autres portraits*. Paris: Hermann, 2005.

DUMONCEL, Jean-Claude. *Deleuze face à face*. Vallet: M-Editer, 2009.

☞ *Com Deleuze, surgem novas combinações entre humano e animal, doença e saúde, razão e desrazão.*

☞ *Com Foucault, aborda-se o nascimento e a morte, na história europeia, das seguintes figuras: o homem, a doença, a razão, a loucura.*

- **Nome: MICHEL FOUCAULT**
- **Ambiente e meio**

Da burguesia provincial às universidades da Califórnia, a trajetória atípica de Michel Foucault passa pela Suécia e pela Tunísia antes de chegar ao Collège de France e aos movimentos contestatórios.

- **12 datas**

1926 Nasce em Poitiers.
1946 Entra para a École Normale Supérieure.
1950 Filia-se ao Partido Comunista (que abandona em 1953).
1954-1959 Adido cultural em Uppsala, na Suécia.
1961 Publica *História da loucura*.
1965 Professor na Universidade de Túnis.
1966 Publica *As palavras e as coisas*.
1970 Eleito professor do Collège de France.
1972 Coorganiza o Comitê de Ação dos Prisioneiros.
1975 Publica *Vigiar e punir*.
1976 Começa a publicar a *História da sexualidade*.
1984 Morre em Paris, de AIDS.

- **Conceito de verdade**

A verdade, para Foucault:
depende dos sistemas de pensamento,
expressa uma relação de força,
produz efeitos nos corpos e nos comportamentos.

- **Uma frase-chave**

"O homem é uma invenção cuja data recente a arqueologia de nosso pensamento mostra com facilidade."

- **Posição ocupada no pensamento contemporâneo**

Bastante particular, pois sua obra, na fronteira entre história e filosofia, adquire dimensões políticas e teóricas muito diferentes dos dois lados do Atlântico.

Capítulo 17

ONDE MICHEL FOUCAULT SE INTERESSA POR ASILOS, HOSPITAIS, CASERNAS E PRISÕES

Descontínua, assim parece a obra de Michel Foucault à primeira vista. Os adversários julgam-na desigual, e mesmo dispersiva. Sua trajetória pessoal pode passar a mesma impressão: acompanhamos uma miríade de lugares e de centros de interesse, mais do que uma bela totalidade claramente organizada. Comparado aos que percorrem um único sulco, Foucault parece desordenado. Seu percurso desconcerta: ele vai da loucura na Idade Clássica ao uso dos prazeres na Antiguidade, do surgimento das ciências humanas ao das prisões, passando pelo olhar médico ou pelos arquivos da Bastilha, sem contar as obras de Raymond Roussel ou Manet, entre literatura e reflexão estética.

A impressão de fragmentação se acentua quando constatamos que não existe, em Foucault, um método uniforme e constante. As sucessivas pesquisas obedecem a regras distintas, visam objetivos diferentes. Além disso, inventor de conceitos, Foucault os cria em profusão para abandoná-los sem vergonha trocando-os por novos. Enfim, esse desbravador está sempre estabelecendo planos de trabalho para cumpri-los apenas parcialmente ou modificá-los ao longo do caminho. Diante de tantos elementos que nunca se ajustam perfeitamente, podemos concluir que se trata de uma pesquisa viva, sempre em transformação, a inventar-se continuamente – ou então perder a esperança de apreender a unidade perdida dessa obra.

O próprio Foucault reivindicava esse estilhaçamento como uma exigência de liberdade. Ele escrevia para preparar um "labirinto" ou para se dissimular, para caminhar sem ser visto e surgir nos lugares mais improváveis. "Não me pergunte quem eu sou e não me diga para permanecer o mesmo", ele disse no início de *A arqueologia do saber*. Não ser reconhecível, fixo ou imóvel, poder mudar de perspectiva ou de tática indefinidamente, isso é que caracteriza sua maneira de lutar, pensar, viver.

Um bom guia para abordar o pensamento de Michel Foucault talvez seja a própria ideia de ruptura. Esse fio de Ariadne paradoxal se revela pertinente na medida em que Foucault sempre procurou romper. Com referências habituais ou perspectivas convencionais, com suas obras anteriores ou com suas próprias intenções.

Do louco divino ao doente mental

No início de sua trajetória, por volta de 1955, Foucault rompeu com a França e com o ensino. Aluno da École Normale, *agrégé* de filosofia, em vez de dar aulas ele partiu para a Suécia como adido cultural em Uppsala. Foi lá também que começou a romper com o Partido Comunista e com o marxismo. Dessa época data a ruptura decisiva que ele empreende por meio da escrita de *História da loucura*. O livro, primeiro apresentado como uma tese, só foi publicado em 1962, mas em meados dos anos 1950 Foucault já dizia adeus às referências universitariamente corretas.

A respeito da loucura, de fato, seria esperado que um filósofo comentasse Erasmo, Descartes e mais alguns, devidamente alinhados na biblioteca das obras legítimas. Foucault, ao contrário, se dedica ao escrutínio de obras indignas: tratados de feitiçaria, manuais de medicina, relatórios policiais, cursos de psiquiatria, obras sem relevo de autores sem estatura. Nessa escória das bibliotecas, nesses resíduos esquecidos de palavras obscuras, ele não procura reconstituir a história das atitudes para com a desrazão humana, supostamente sempre a mesma ao longo dos séculos.

Sua abordagem rompe com esse ponto de vista corriqueiro e simplista. Foucault estuda o próprio gesto de divisão que constitui de um lado a razão e, do outro, seu duplo assustador. Ao longo da investigação, ele buscar mostrar a transformação radical dos discursos e das práticas sociais: na Idade Média, o louco era considerado próximo ao divino, mais ou menos profeta, necessariamente errante, um nômade detentor de segredos sobre-humanos. Hoje o consideramos perigoso, perturbado, doente, mais perto do animal do que do humano. Achamos que deve ser encerrado, diagnosticado, tratado quando possível.

Foucault opera, assim, desde o início, uma série de rupturas no campo das ideias. Ele rompe com a ideia de uma loucura sempre idêntica, que constituiria o objeto, por meio da psiquiatria, de um saber científico. Ele mostra, pelo contrário, que os objetos estudados são produzidos ao mesmo tempo que os saberes e suas classificações. Ele também rompe com a separação das disciplinas e dos registros de análise: o discurso sobre o necessário encerramento dos loucos nasce junto com o hospital, assim como o hospício e a psiquiatria. Dispositivos de saber e dispositivos de poder são duas faces de um mesmo processo. Essas duas faces remetem uma à outra e geram-se reciprocamente. Suas histórias revelam as mesmas fraturas, mutações e descontinuidades. Foucault se interessa, em todos os seus trabalhos, pelos momentos de mudança, pelos novos patamares, pelas linhas divisórias. Ele não se contenta em operar rupturas. Ele as estuda.

Poderíamos inclusive afirmar que ele as espreita, tentando ressaltá-las nos lugares onde, antes dele, elas não tinham sido percebidas. Assim, em *As palavras e as coisas*, de 1965, Foucault faz sair da sombra e do esquecimento a fratura no saber que fez nascer as ciências humanas tal como o século XIX as desenvolveu. Enquanto avança, ele enfatiza o quanto a figura do homem, concebida como princípio central de explicação, é histórica, portanto temporária, talvez já em vias de se esfumaçar.

A morte do homem

Essa "morte do homem" o torna célebre, ao preço de mal-entendidos variados. O livro conhece um sucesso extraordinário, apesar de sua dificuldade. Foucault, por sua vez, vai dar aulas na Tunísia, onde ficará até depois de Maio de 1968. Quando volta para a França, é para dar aulas na universidade experimental de Vincennes, ponto cardeal do esquerdismo da época, antes de ser eleito para o Collège de France. Ele se afasta, então, cada vez mais da universidade e, acima de tudo, do modelo professoral comum, rompendo à sua maneira com a rigidez acadêmica e com aquilo que podemos chamar, tanto em sentido estrito quanto figurado, de forças da ordem.

Decididamente, é sempre sob o signo da ruptura que sua trajetória avança. De fato, *A arqueologia do saber* se afasta dos métodos e dos objetos reconhecidos da pesquisa histórica para definir o que são os discursos, suas configurações, suas viradas. *Vigiar e punir* se afasta da concepção habitual de poder, que emanaria de um centro único, para propor uma ideia de "micropoderes", locais, policêntricos. Ao analisar o nascimento da sociedade disciplinar, a disciplinarização dos corpos, o controle do tempo e do espaço (caserna, pensionato, fábricas), Foucault também rompe, e dessa vez de maneira radical, com a visão marxista convencional. Mais que isso: num momento em que goza de uma posição consolidada, traduzido no mundo inteiro, ouvido por todos, Foucault se afasta de seus campos de pesquisas anteriores.

Com *História da sexualidade*, ele dá início a um programa de grande envergadura. Em *A vontade de saber*, primeiro volume desse vasto estudo, ele traz à luz o laço particular que se estabelece, no Ocidente, entre discurso e sexo. Uma ruptura a mais com o que em geral se acredita. Pensa-se, de fato, que os tabus que cercam a sexualidade limitam seu exercício. Foucault insiste, pelo contrário, no aspecto incitante e produtivo dessa limitação. Nunca se falou tanto em sexo, nunca se dedicou tanto esforço, reflexões e tempo às técnicas de confissão. O Ocidente foi invadido por uma preocupação, interminável e proteiforme, de discorrer sobre o sexo. Ele procura retraçar essa formação e seus pontos de ruptura.

No entanto, Foucault abandona essa obra gigantesca. Sob o mesmo título, alguns anos mais tarde, ele faz uma investigação muito diferente. Na Antiguidade, entre os gregos e romanos, os "cuidados de si" e as maneiras de regular "o uso dos prazeres", Foucault reconstitui o modelo de uma maneira de viver e de agir, de construir a própria vida, que difere totalmente dos modelos do cristianismo. É no interior da constituição do indivíduo, de sua subjetividade, que ele introduz as rupturas da história. Talvez não se tenha avaliado o suficiente o extraordinário esforço exigido, da parte um filósofo-historiador tão familiar aos Tempos Modernos e seus diversos arquivos, pela vontade de se fazer helenista, latinista, estudioso da Antiguidade. Como uma última ruptura.

A menos que seja apenas um instante de um processo que, na verdade, não foi interrompido pela morte de Michel Foucault em junho de 1984. O movimento dessas rupturas em série se mantém. Os leitores de fato prolongam, reinventam o gesto, rompendo por sua vez, como Foucault aliás havia previsto e desejado, com o sentido original deste ou daquele conceito. Na França, começou-se por exemplo a considerar de maneira diferente o último período de sua obra, a lê-lo como o testamento de um moralista. A amplidão de sua abordagem filosófica, que se inscreve nos passos de Nietzsche, também é melhor compreendida. Nos Estados Unidos, no Japão, na Rússia, os leitores de Foucault rompem por sua vez com as intenções originais do autor. Eles fabricam para si novos e singulares Foucault.

Não estamos falando de traição. Pelo contrário, as transformações são fiéis a Foucault. Pois sua vontade explícita era criar uma obra instrumental. Cada um, para ele, devia poder se servir de seu trabalho em função das próprias necessidades, de maneira inédita e imprevisível. O autor, para ele, não era depositário do sentido oficial e único de seus livros. O que Michel Foucault ensina de mais importante, no fim das contas, talvez seja o seguinte: pensar, escrever e lutar não constituem mais que uma única e mesma ruptura constante.

De Diógenes a nossos dias

Nas últimas aulas, Foucault corre contra a morte. Em 1984, as conferências públicas no Collège de France não começam em janeiro, como de costume. "Estive doente, muito doente", ele diz em 1º de fevereiro, ao começar o curso. Ao fechar o ciclo, no final de março, ele pronuncia a seguinte frase: "É tarde demais". Está apenas dizendo que passou da hora, que precisa interromper a exposição. Hoje, ela soa diferente. São as últimas palavras do filósofo a seu público. Algumas semanas depois, ele morre de AIDS, no hospital da Salpêtrière, em 25 de junho de 1984. Não tinha completado 58 anos.

Foucault teria organizado essas últimas conferências como um testamento? Podemos supor que sim, mas não podemos ter certeza. Seja como for, seu texto é excepcional. Pela clareza incisiva, pela amplidão e pela precisão das informações. Pela capacidade, tão rara, de fazer surgir paisagens novas dentro de textos conhecidos. A "vida filosófica", sonhada e praticada pelos Antigos, aparece como uma matriz – distante, mas sempre ativa – da vida militante e do desejo de revolução que anima os Modernos. Para iluminar o longo percurso que conduz da vida do filósofo antigo, ordenada segundo a verdade, à do revolucionário moderno, que tende para a transformação da história,

Foucault parte de uma noção grega, já explorada no ano anterior: a *parrésia*. O termo designa a franqueza do amigo, a verdade do confidente, em oposição à adulação do hipócrita ou do cortesão. A *parrésia* implica a coragem de dizer tudo, correndo o risco de desagradar, de irritar.

Essa franqueza audaciosa, que se aplica à conduta de vida mais íntima, também tem uma dimensão política essencial: dizer a verdade sobre si mesmo e aceitar ouvir o que não é agradável diz respeito, para os gregos, tanto ao governo da comunidade quanto ao do indivíduo. O sujeito e a Cidade se constituem articulando de maneira semelhante exigência de verdade, poder sobre si e poder sobre os outros.

Até aí, nada de verdadeiramente novo. Em contrapartida, a aula se torna notável, e suas análises, virtuosas, quando Foucault dirige os refletores para os filósofos cínicos. O adjetivo, na Antiguidade, nada tem a ver com seu sentido corrente e atual. Derivado de *kunos* ("cão", em grego antigo), ele significa "canino". Os cínicos são aqueles que – voluntária e exemplarmente – vivem como cães. Dormindo ao ar livre, despojando-se de todos os artifícios, mendigando alimento, não respeitando nenhum costume civilizado, copulando em público, invectivando os passantes, esses filósofos causaram escândalo ao longo de vários séculos.

Foucault se interessa por esse escândalo, com frequência negligenciado ou minimizado. Tal interesse não se deve apenas ao fascínio pelos "infames", provocadores ou rebeldes. Ele discerne, na reprovação suscitada pelos cínicos, os termos de um enigma a ser resolvido. Por que os vemos com tão maus olhos, se eles se apoiam no tronco comum das ambições filosóficas do mundo antigo? É preciso insistir na banalidade do que querem os cínicos, cuja base doutrinária não se destaca pela originalidade.

A vida outra

Pelo contrário, seus objetivos são dos mais consensuais. Transformar a própria vida pela filosofia, dedicar-se a si mesmo, negligenciar, consequentemente, tudo o que se revela inútil, aplicar-se a viver a vida de acordo com seus pensamentos – todos, na Grécia ou em Roma, concordam a respeito desses pontos. O que fazem os cínicos de tão estranho, de tão inaceitável, para serem relegados ao opróbrio, se buscam os objetivos que todos os filósofos mais ou menos compartilhavam?

Eles operam uma passagem ao limite. Perseguindo radicalmente, até o fim, o movimento da vida filosófica, eles invertem seu sentido. Os cínicos mostram que a "verdadeira vida", a vida segundo a verdade, só existe ao preço de uma desordem de costumes que nos desorienta. Eis o que causa escândalo: fazer entrar em conflito, sob os olhos de todos, princípios unanimemente compartilhados e praticados. A respeito dos princípios, todos concordamos. Mas fazemos o contrário do que eles preconizam. Os cínicos executam ao pé da letra os princípios que aprovamos – e eles se tornam inaceitáveis. Sem nada mudar nos objetivos habituais da filosofia, eles revelam o quanto, para alcançá-los, é preciso quebrar as regras e desacreditar as convenções sociais.

Na história do Ocidente, essa é uma mutação fundamental. De fato, a "vida filosófica", a "verdadeira vida" (reta, perfeita, soberana, virtuosa) se vê transformada em "vida outra" (pobre, suja, feia, desonrosa, humilhante, animal). Foucault esclarece os diversos aspectos dessa deformação passível de múltiplos desdobramentos no futuro. Até mesmo a função soberana do filósofo se vê radicalmente metamorfoseada, a ponto de se tornar caricata. O cínico é de fato o único rei verdadeiro, que não precisa de nada, nem de ninguém, para manifestar seu poder. Mas esse rei é risível – nu, sujo e feio.

Sua função suprema? Exercer a franqueza para com o gênero humano. Um cão que ladra, ataca e morde. Em guerra contra a humanidade inteira em nome da franqueza (a *parrésia*), ele luta contra si mesmo tanto quanto contra todos os outros. Esse mendigo cósmico inventa uma nova ideia: alcançar a verdadeira vida implica a destruição do mundo, a ruptura radical com o que existe. Missionário da verdade, o herói cínico trabalha para o surgimento, no fim das contas, de um novo mundo.

A partir disso, o programa a ser seguido poderia ser resumido da seguinte maneira: estudar a passagem desse ascetismo cínico ao ascetismo cristão, seguir as continuidades e as transformações da "verdadeira vida" em "vida outra", do "verdadeiro mundo" em "outro mundo", desde a Idade Média cristã até os revolucionários e militantes do século XIX. Para Foucault, era de fato tarde demais para dar início a tão amplo projeto.

De Foucault, o que ler primeiro?

Vigiar e punir. História da violência nas prisões. Tradução de Raquel Ramalhete. Petrópolis, RJ: Vozes, 2015.

E depois?

História da loucura. Tradução de José Teixeira Coelho Netto. São Paulo: Perspectiva, 2010.

O nascimento da clínica. Tradução de Roberto Machado. Rio de Janeiro: Forense Universitária, 2011.

A coragem da verdade. Tradução de Eduardo Brandão. São Paulo: Martins Fontes, 2011.

Sobre Foucault, o que ler para ir mais longe?

DROIT, Roger-Pol. *Michel Foucault – Entrevistas*. Tradução de Vera Portocarrero e Gilda C. Carneiro. Rio de Janeiro: Graal, 2006.

VEYNE, Paul. *Foucault – seu pensamento, sua pessoa*. Tradução de Marcelo Jacques de Moraes. Rio de Janeiro: Civilização Brasileira, 2011.

GROS, Frédéric. *Michel Foucault*. Paris: PUF, 2010. (Coleção "Que sais-je?".)

☞ *Com Foucault, as representações e os discursos ficam em primeiro plano quando se trata de falar do homem e da história.*

☞ *Com Levinas, pelo contrário, a análise se ancora na presença do outro, em sua existência física e na visão de seu rosto.*

- **Nome: EMMANUEL LEVINAS**
- **Ambiente e meio:**

Da Lituânia a Paris, passando pela Rússia e pela Alemanha, o itinerário intelectual e humano de Emmanuel Levinas atravessa a Europa e suas guerras.

- **10 datas**

1906 Nasce em Kovno, na Lituânia, numa família culta.

1914 A família se instala em Kharkov, na Rússia, devido à guerra. Estudos no liceu russo.

1923-27 Estudos de filosofia em Estrasburgo.

1928-29 Estudos em Freiburg com Husserl e Heidegger.

1930 Nacionalidade francesa. Trabalha na École Normale Israélite Orientale, da qual será diretor.

1940-44 Prisioneiro de guerra na Alemanha.

1961 Defende uma Thèse d'État, *Totalidade e infinito*.

1972 Publica *Difícil liberdade*.

1973-76 Professor na Sorbonne, depois de Poitiers e Nanterre.

1995 Morre em Paris, em 25 de dezembro.

- **Conceito de verdade:**

A verdade, para Levinas:
está ligada à presença do outro,
não depende apenas de minha vontade,
une lei e ética.

- **Uma frase-chave:**

"Reconhecer a necessidade de uma Lei é reconhecer que a humanidade não pode se salvar negando sua condição, subitamente, magicamente."

- **Posição ocupada no pensamento contemporâneo:**

Única, na medida em que Levinas pensa conjuntamente a herança judaica e a herança grega, a dimensão da ética e a da racionalidade. Sua influência, que se manteve discreta por muito tempo, não cessa de crescer.

Capítulo 18

Onde Emmanuel Levinas encontra no outro homem a fonte da ética

Emmanuel Levinas escreve sobre a própria vida, em 1963, em *Difícil liberdade*: "Ela é dominada pelo pressentimento e pela lembrança do horror nazista". Podemos dizer o mesmo de seu pensamento. Apesar de o Holocausto ser raramente designado de maneira explícita, apesar de a maior parte dos livros do filósofo tratar, à primeira vista, de questões muito abstratas, toda a sua abordagem é orientada pela existência dos massacres e pelo aparente triunfo da desumanidade.

O objetivo central não é compreender como isso se tornou possível, nem elucidar como esse novo tipo de barbárie se singularizou. Ele consiste em restaurar a dimensão daquilo que é humano, em repensar o fundamento da ética. Num momento em que a figura do homem parece se apagar, seu trabalho se dedica a mostrar o rosto do outro e a fazer dessa presença – e dessa prerrogativa – aquilo que nos torna humanos ao nos tornar morais.

Em si, o destino de Emmanuel Levinas é extraordinário. Nascido nos confins da Europa, ele soube interiorizar várias línguas, integrar horizontes de pensamento dissemelhantes, passar por acontecimentos sem precedentes e elaborar, a partir dessas experiências singulares, um pensamento radical e novo. Vivendo num século de horrores, ele deu à ética um lugar fundamental, colocando o outro homem acima de todas as coisas. Por muito tempo ignorada pelo público, sua obra, que influenciou João Paulo II ou Václav Havel, se tornou muito conhecida ao fim de sua vida. Hoje, é estudada no mundo inteiro. Mesmo assim, está longe de ter revelado todos os seus significados.

Kovno, Estrasburgo, Freiburg, Paris

Sua trajetória começa em Kovno, na Lituânia, onde línguas e saberes se cruzam numa comunidade de história excepcional, marcada pela herança do talmudista Gaon de Vilna e do rabino Haim de Volozhin. A família é relativamente abastada, os livros são onipresentes (o pai é livreiro), a observância da lei religiosa "é natural". O russo é língua materna, um professor de hebraico faz o pequeno Emmanuel ler a Torá desde os seis anos. Em 1914, o avanço das tropas alemãs conduz a família à Rússia. Emmanuel entra no liceu de Karkhov, onde apenas cinco judeus, devido a um *numerus clausus*, são autorizados a estudar. Ele logo descobre a revolução bolchevique, bem como Púchkin, Lermontov, Tolstói, Turguêniev, Dostoiévski. Por meio deles, as primeiras questões filosóficas são intuídas.

Levinas volta a descobri-las sob uma nova luz em Estrasburgo, em 1923. Na universidade, ele aprende latim e inicia os estudos de filosofia, com Maurice Pradines entre seus professores. Começa com Maurice Blanchot uma amizade para a vida toda. Ele se maravilha com Bergson, depois com a fenomenologia e decide partir para Freiburg, onde seus professores são Husserl e Heidegger. Em 1930, Levinas se torna francês e trabalha em Paris, na École Normale Israélite Orientale, que forma professores para os centros da Aliança Israelita do Oriente Médio. Paralelamente, escreve sua obra filosófica. Prisioneiro durante a Segunda Guerra Mundial, ele sobrevive enquanto sua família é exterminada na Lituânia pelos nazistas.

Somente em 1961 ele defende sua tese, *Totalidade e infinito*. Ele se dedica, então, a duas atividades. Por um lado, o professor prossegue a carreira universitária: de Poitiers a Nanterre, depois na Sorbonne, ele é um filósofo "profissional", estimado e discreto, autor de obras de extrema dificuldade, de força e originalidade que só são percebidas, no início, por um círculo muito restrito. Por outro lado, na esteira do enigmático Monsieur Chouchani, que lhe ensinou a leitura talmúdica, ele elabora, enquanto pensador "confessional", múltiplas lições em que esclarece, com grande delicadeza e extrema sutileza, os múltiplos significados de textos hebraicos, principalmente do Talmude.

Discreto, disponível, afável, atencioso, obstinado, nem um pouco desprovido de ironia e humor, Levinas poderia ter sido um professor como muitos outros, lembrado vivamente por alguns poucos alunos. Porém, a partir desse percurso parecido com o de tantos outros ele produziu uma obra sem igual. Levinas é genial, seu pensamento constitui uma exceção. Ele soube devolver à ética o poder e a radicalidade num século que parecia marcar seu completo desaparecimento.

A presença do outro

Não é complicado dizer o que distingue, entre todas, a filosofia de Levinas. Seu pensamento está fundamentado na perturbadora experiência ética do corpo do outro. O essencial pode ser condensado na seguinte fórmula: a ética, para Levinas, não é uma questão reflexiva, mas uma experiência imediata. Ela não resulta de um raciocínio, não é deduzida. É experimentada. Cada um é invadido e requisitado, de maneira imediata, pela percepção do outro, por sua presença. Para o filósofo, o fato central – da ética, mas também da humanidade enquanto tal – reside nessa ruptura perturbadora provocada no mundo pela presença corporal do outro, que se impõe de um modo completamente diferente do da presença das coisas.

De fato, para Levinas o corpo do outro tem significado em si mesmo, de maneira originária. Na nudez, na evidente fraqueza, na incapacidade de dissimular que é indefeso, esse corpo humano manifesta tanto sua vulnerabilidade quanto sua inviolabilidade. Exposto ao possível assassinato, ele o proíbe. O surgimento do outro é suficiente, portanto, em si mesmo, para fundamentar a ética e a responsabilidade, e mesmo a política.

Esse significado corporal imediato é chamado de "rosto" por Levinas. Este não é apenas a face humana, nem mesmo a expressão dos traços. O "rosto" é o corpo inteiro do outro, enquanto humano, enquanto se dirigindo diretamente a mim, e ele me investe de uma responsabilidade da qual eu não poderia, de maneira alguma, me eximir: "Ver um rosto é já ouvir 'Não matarás'; e ouvir 'Não matarás' é ouvir 'justiça social.'"

A ética segundo Levinas supõe essa experiência como uma perturbação: por meio do corpo, nos aproximamos do infinito. Essa aproximação também é uma desapropriação. O rosto do outro me desapropria de mim mesmo, de minhas certezas, das barreiras como o egoísmo, a indiferença e até, mais radicalmente, da identidade e da subjetividade. A inversão radical desenvolvida, de mil maneiras, pelo pensamento de Levinas consiste acima de tudo em constatar que o outro tem prioridade sobre mim. A ética leva ao pé da letra, e a sério, a banal fórmula de gentileza "você primeiro, por favor", vendo nela uma chave para o mundo e uma regra de vida, tão pessoal quanto coletiva.

A relação entre mim e o outro é, portanto, assimétrica. A primazia do outro é tal que Levinas fala em "obsessão" ou "insônia", concebe o sujeito como uma "passividade" quase pura, como "refém" do outro. A quebra radical operada por Levinas às vezes parece chegar a resultados paradoxais: enquanto classicamente se pensa o egoísmo, as relações de força, a necessidade de limitar a dominação exercida sobre o outro, ele institui como pontos de partida a exigência de ajuda e de compaixão, a prioridade do outro sobre mim.

Essa responsabilidade para com o outro só pode ser exercida por mim mesmo. Ela me solicita e me constitui. Ela não pode ser delegada a ninguém, é em meu nome que devo exercê-la. É a esse título que podemos realmente considerar que a ética constitui, para Levinas, a filosofia fundamental. Inútil imaginar outro fundamento para o mundo e para a vida, não há necessidade do ser ou da substância. O antigo lugar da metafísica é invadido, ou de preferência substituído, pela relação com o outro.

Sua precedência sobre mim vale em todos os planos. A gentileza, como lembramos, não cessa de repetir: "Você primeiro, por favor". Levinas enfatiza o quanto essa fórmula é fundadora e presente em vários outros registros. A filiação exige que as crianças passem antes de mim, os mais desprovidos também têm prioridade, os estrangeiros devem ser acolhidos e respeitados antes dos habitantes do lugar. Não se trata de costume, de cultura ou de leis, mas de humanidade, no sentido mais radical, fundadora de nosso viver no mundo, de nossa relação com nós mesmos, com a linguagem e os sentidos.

Essa radicalidade da experiência corre o risco de se transformar em apologia da culpabilidade. Antes mesmo de qualquer ação, já sou culpado diante do apelo vertiginoso do outro. É por isso que a concepção sublime de Levinas a respeito da posição fundamental da ética, apesar de sua originalidade e profundidade, não escapa às críticas.

De fato, integrar dessa maneira a proibição do assassinato à própria experiência do corpo do outro é operar como que uma fusão entre a realidade e a norma, cuja realização pode efetivamente ser duvidada. Levinas parece tentar anular a distância entre o que é e o que deveria ser. Podemos legitimamente perguntar se semelhante fusão é de fato possível. Seu pensamento é de uma incontestável grandeza, sustentada por uma linguagem de extraordinária precisão e sutileza. Mas talvez se esforce demais em misturar mundos heterogêneos.

Esses não são os únicos questionamentos que sua obra suscita. Outros concernem a articulação entre a vertente filosófica e a vertente talmúdica da obra. Sem dúvida ainda há muito a ser explorado nesse sentido. Mas as linhas mestras podem ser traçadas: tanto como filósofo quanto como pensador judeu, Levinas não concede ao ritual um poder de sacramento. Ele prefere o santo ao sagrado, sempre portador do neopaganismo da Terra e do Lugar. Acima de tudo, ele coloca o divino na relação inter-humana. Ele escreve, por exemplo: "A verdadeira correlação entre o homem e Deus depende de uma relação do homem com o homem, em que o homem assume a plena responsabilidade, como se não houvesse um Deus sobre o qual contar". Isso desperta várias discussões.

O mais importante a ser destacado, porém, é o caráter surpreendentemente sensível e carnal de muitas das páginas e das análises de Levinas. De fato, não há nada menos abstrato que seu pensamento. Apesar de muitas vezes se revelar difícil, uma via de acesso se abre ali onde menos esperamos. Não esperamos encontrar num livro de teoria filosófica tão denso e complexo quanto *Totalidade e infinito*, por exemplo, páginas dedicadas à carícia.

Seja de amor ou de carinho, de desejo ou de proteção – ou conjugando todos esses elementos –, a carícia parece distante dos conceitos, das análises rigorosas, dos esforços de abstração. Apesar de, em certo sentido, constituir uma demonstração, ela no entanto nada tem a ver com a geometria. Esse gesto de afeto não mobiliza, em geral, a razão dos filósofos.

Abordagem da carícia

No entanto, nesse livro importante, publicado em 1971 – e, desde então, um dos pilares da paisagem filosófica contemporânea –, Emmanuel Levinas dedica à carícia páginas inesperadas. É a estranheza das carícias que primeiro retém sua atenção. O filósofo que coloca em primeiro plano a questão do outro, sua primazia sobre mim, a exigência ética decorrente de sua simples presença e de seu rosto, descobre que com o toque se abre um espaço-tempo singular.

Pois a carícia não visa, para ele, "nem uma pessoa nem uma coisa". Ela faz surgir um meio-termo, um mundo intermediário, em que cada um, ao mesmo tempo tocando e sendo tocado, não é mais exatamente si mesmo, sem por isso tornar-se outro. Consistindo "em não se apoderar de nada", a carícia se contenta em aflorar. Ela desliza, com o tato, indefinidamente. Ela busca, sem saber o quê, sem nada encontrar, mas nem por isso se detendo. De fato, ela "marcha para o invisível". Esse toque, portanto, é muito mais do que uma banal questão de pele, células, nervos e sinapses.

A carícia, Levinas não hesita em dizer, "transcende o sensível". O corpo acariciado-acariciante não é mais o da fisiologia. Ele não é o corpo-coisa dos anatomistas ou dos médicos. Mas tampouco é o corpo exilado do artista que dança, nem o organismo submetido às obrigações do trabalho, nem a silhueta curvada às ordens dos poderes. É um corpo outro, no limite do dizível e do pensável. Curiosamente obscuro e luminoso, nunca totalmente presente, sempre em transformação, como que aquém do mundo das coisas. O filósofo tenta se aproximar de seu estatuto paradoxal, sem no entanto fixá-lo numa verdade morta.

Pois esse mundo onde o outro tem prioridade também é o mundo da incerteza, da suspensão dos dogmatismos, da interrupção das convicções nítidas. Avançando nessa direção, é preciso dizer que se extingue aquilo que os metafísicos chamavam, antigamente, de "verdade". Esse mundo é aquele em que o fim desse conceito é experimentado, mais do que concebido. É por isso que algumas vezes se tentou ver, numa suposta "filosofia da carícia", o fio condutor do pensamento de Levinas. Essas páginas, aliás, não são isoladas em sua obra – o tema da carícia retorna em outro livro importante, *Autrement qu'être ou Au-delà de l'essence*.

Ao pensamento do olhar – que desde Platão discerne arestas fixas, que vê o outro como uma coisa entre as coisas, que privilegia a identidade –, a reflexão contemporânea, a partir de Levinas, opõe um pensamento do toque que funcionaria de modo diferente. Sem dúvida podemos considerá-lo desconcertante, pois ele não está protegido por certezas ou armado de evidências. Mas essa incerteza apresenta, em contrapartida, um alcance ético fundamental. "É preciso que faltem categorias", escreve Levinas, "para que o outro não seja ocultado."

De Levinas, o que ler primeiro?

Difficile Liberté. Essais sur le judaïsme. Paris: Le Livre de poche, 1984.

E depois?

Entre nous. Essais sur le pense-à-l'autre. Paris: Le Livre de poche, 1993.

Ética e infinito. Tradução de João Gama. Lisboa: Edições 70, 2007.

Sobre Levinas, o que ler para ir mais longe?

LESCOURRET, Marie-Anne. *Emmanuel Levinas*. Paris: Flammarion, 1999.

SAINT-CHÉRON, Michaël de. *Entretiens avec Levinas. 1992-1994*. Paris: Le Livre de poche, 2010.

LÉVY, Benny. *Emmanuel Levinas: Dieu et la philosophie*. Paris: Verdier, 2009.

Sétima parte

UM DEBATE SEM FIM

Que confiança ainda ter na razão? Em linhas gerais, essa é a pergunta que divide os pensadores do fim do século XX. Sob esse ponto de vista, a oposição entre Jacques Derrida e Jürgen Habermas é exemplar.

Detalhar seus debates, disputas, brigas e reconciliações é o menos complicado de fazer. Pierre Bouretz dedicou-lhes um volume no qual podem ser encontradas todas as informações necessárias. Desnecessário penetrar nesses meandros, nos quais entram em jogo várias questões teóricas e políticas, e também institucionais e ideológicas.

No entanto, apesar de as relações entre esses dois grandes pensadores serem complexas, a questão central de seus debates pode ser formulada em poucas palavras. Trata-se de saber se a racionalidade ainda tem um futuro – entendendo-se por "racionalidade" o uso de argumentos, a lógica demonstrativa em ação no debate público. Isso supõe, é claro, a existência de um horizonte de verdade, onde se possa afirmar, finalmente, quem está certo e quem está errado, a respeito de que e em função de quais argumentos.

Essa busca atravessou os séculos, desde os gregos até o Iluminismo e a modernidade científica. Ela foi contestada por Nietzsche no século XIX e por Heidegger no século XX. Jacques Derrida prolongou esse questionamento da própria ideia de verdade e dos procedimentos da racionalidade. Ele se propôs a interrogar os próprios critérios de nossos julgamentos, as categorias com as quais construímos nossos pensamentos e discursos. Seu objetivo era colocar em jogo as articulações, relativizar as evidências aparentes.

Essa é a "desconstrução" – termo utilizado por Derrida para traduzir para o francês a "*Destruktion*" de Heidegger. A palavra se tornou sinônimo do próprio gesto de Derrida, às vezes contra sua vontade. Desconstruir equivale a insistir nas ambiguidades dos termos conceituais, a destacar complexidades despercebidas sob evidências transparentes, a complicar e pluralizar significados que se apresentam como unívocos. O exercício nem sempre é desprovido de artifícios, de jogos de palavras ou de vieses retóricos – o que os adversários não deixam de criticar em Derrida. Seja como for, diante dos usos clássicos da razão, trata-se de adotar uma atitude de desconfiança, de obstrução.

Jürgen Habermas, em sentido contrário, personifica a confiança renovada na racionalidade, o debate argumentativo, a discussão democrática, a troca de argumentos. Sua posição com frequência é mais subversiva do que parece, pois ele insiste na necessidade de cada um ter acesso à discussão e dispor de meios para apresentar a validade de seus argumentos – o que

Introdução

nem sempre é o caso, nem mesmo nos regimes democráticos que reconhecem formalmente esse direito aos cidadãos.

Para Habermas, trata-se menos de desconfiar da razão do que proporcionar os meios para elaborar – tanto filosófica quanto politicamente – as convicções de uma renovação do debate público. Contra os possíveis desvios das democracias, ele não cessa de lembrar a natureza que lhes é própria, que reside na política deliberativa.

Apesar da esquematização excessiva, é indiscutível que nos encontramos diante de duas atitudes opostas. Uma se interroga sistematicamente a respeito do que existe de obscuro na racionalidade, de seus limites, eventualmente de suas ilusões. A outra trabalha para torná-la coletivamente mais eficaz e transparente, extraindo normas teóricas e práticas para uma ética da discussão e uma política da deliberação.

Entre essas duas posturas, o debate é infinito.

- **Nome: JACQUES DERRIDA**
- **Ambiente e meio:**

A Argélia perdida mas presente, as instituições francesas familiares mas pouco acolhedoras, as universidades americanas geralmente entusiastas: uma paisagem voluntariamente cosmopolita.

- **10 datas**

1930 Nasce em El-Biar, na Argélia.
1940 Destituído da nacionalidade francesa pelas leis antissemitas de Vichy.
1952 Entra ne École Normale Supérieure da Rue d'Ulm.
1964-1984 Professor-assistente na École Normale Supérieure.
1967 Publica *Gramatologia, A escritura e a diferença, A voz e o fenômeno*.
1975 Professor convidado na Universidade de Yale.
1978 Organiza os Estados Gerais da filosofia.
1984 *Directeur d'études* na École des Hautes Études en Sciences Sociales.
1986 Professor na Universidade da Califórnia, em Irvine.
2004 Morre em Paris, em 9 de outubro.

- **Conceito de verdade:**

A verdade, para Derrida:
deve ser desconstruída, isto é, questionada,
é inseparável de uma escrita,
sempre envolve um relato.

- **Uma frase-chave:**

"A filosofia deve estar sempre exposta ao risco de deixar-se, de partir dela mesma."

- **Posição ocupada no pensamento contemporâneo:**

Controversa. Alguns se entusiasmam com a fecundidade dos novos gestos efetuados por Derrida no campo filosófico e literário. Outros veem em sua obra gesticulações inúteis e obscuras.

Capítulo 19

Onde Jacques Derrida se dedica a questionar as questões

Jacques Derrida nunca parecia à vontade desempenhando papéis simples. De mil maneiras diferentes, ele transformou em problema o que podia parecer óbvio e sem dificuldade. Com ele, nada era tão evidente quanto se podia acreditar ou quanto se fingia dizer. Por trás de nossos hábitos, referências e critérios mais garantidos, ele se dedicou a caçar hipóteses despercebidas e a questionar pressupostos. A seus olhos, sempre havia necessidade de mais atenção, mais tempo, mais nuanças... e mais prudência, paciência, audácia e mente aberta do que nossa época dispunha.

Filósofo, ele quis olhar para a filosofia de fora, questioná-la sem complacência. Escritor, nunca deixou de mesclar relato e conceito, de trabalhá-los e de fecundar um no outro. Professor, constantemente interrogou as instituições de ensino e sondou o sentido da universidade e da educação. Cidadão, militou à própria maneira, criticando as certezas das democracias atuais.

A razão dessas sutilezas? Nenhum gosto pela complicação, mas a preocupação de preservar o futuro. Jacques Derrida queria que cessássemos de acreditar que todas as questões estavam resolvidas, que todas as palavras eram previstas ou previsíveis, que todos os regimes políticos tinham sido pensados. O eixo principal de sua obra: fazer espaço para a eventualidade de outro sentido, de alguma coisa inaudita. Reservar a possibilidade de um tempo, de uma escrita, de uma forma de saber ou de uma sensibilidade que, até o momento, não seriam exemplares. Dedicar-se, para isso, em desfazer as evidências antigas, trabalhar no sentido de reintroduzir o movimento nas construções existentes – da metafísica à lógica, da psicologia à política – para que o futuro não fosse traçado de antemão.

Um sucesso mundial

Numa época em que as diversidades tendem a desaparecer, em que o mundo parece "sem lado de fora" e desprovido de alternativa, sua vontade constante de dar lugar a um alhures talvez explique seu sucesso paradoxal. Pois sua obra hiperelitista conhece em vida uma notoriedade mundial. Outros elementos contribuem para esse sucesso. O entusiasmo dos letrados americanos (os filósofos anglo-saxões puros e duros resistem), a suposta possibilidade de aplicar um "método" Derrida a campos muito diferentes, a grande fecundidade do autor (nada menos que cinquenta livros publicados em 35 anos), seu carisma pessoal, a diversidade de temas abordados, mencionados ou relacionados (da poesia à fotografia, da psicanálise ao estatuto da universidade, da Europa à diferença dos sexos, entre vários outros), tudo isso contribuiu para sua fama.

Mas esses não passam de dados externos à sua obra. De maneira mais radical e profunda, existe em Jacques Derrida um gesto, um apelo, uma expectativa a que sua época se viu sensível: dar mais uma chance ao futuro, ficar atento ao imprevisível. É por isso que, em vinte anos, nas décadas de 1970 e 1980, Derrida acabou representando, mais ou menos no mundo inteiro – da Índia aos Estados Unidos, da América Latina à Coreia do Sul, dos países bálticos à África –, a figura do filósofo propriamente dito, mesmo aos olhos de quem nunca leu uma linha de suas obras. Durante seus últimos anos de vida, a aura se amplificou. Surgiram romances, novelas em que Derrida – ou um pensador que estranhamente se parece com ele – aparece como personagem. Uma infinidade de sites na internet são dedicados à sua obra, às vezes apenas à sua imagem (uma foto, algumas linhas de texto). Em suma, esse pensador difícil acabou se tornando um ícone.

Argel, Harvard, Paris

Nada, porém, parece tê-lo predisposto a esse lugar central. Em vida, os primeiros tempos foram marcados por exílios e margens. Nascido em 15 de julho de 1930 na Argélia, na cidade de El-Biar, perto de Argel, Jacques Derrida já estava fora do centro da vida cultural. Ele deixou a Argélia pela primeira vez apenas aos dezenove anos. A infância e a adolescência argelinas o deixaram com a sensação de ser "d'alhures".

Sensação multiplicada por uma exclusão súbita cuja marca nunca se apagou. No início do ano escolar do outono de 1942 o garoto começaria o sétimo ano no liceu Ben-Aknoun, mas foi mandado de volta para casa. O jovem judeu se viu perder a nacionalidade francesa, com a abolição do decreto Crémieux de 1870 pelo regime de Vichy. Até a primavera de 1943, assistiu às aulas de um estabelecimento criado pelos professores expulsos do ensino público pela aplicação do Estatuto dos Judeus, proclamado por Vichy em 3 de outubro de 1940.

Naquela terra ensolarada tão agradável de viver, onde nunca se viu um único soldado alemão, o menino se deparou com a arbitrariedade de ser posto de lado, a ameaça surda da perseguição. Ao voltar ao liceu, viveu um período conturbado, em que o esporte (ele sonhava em ser jogador de futebol profissional) ocupava mais tempo que o estudo. Ele foi reprovado uma primeira vez no *bac*, em 1947, assim como não passou, quando aluno interno no liceu Louis-le-Grand de Paris, no concurso de admissão para a École Normale.

Depois de admitido na Rue d'Ulm, em 1952, Jacques Derrida aos poucos se estabilizou, trabalhou nos Arquivos Husserl de Louvain, passou no exame de *agrégation* de filosofia, obteve uma bolsa para Harvard, casou-se em Boston, em 1957, com Marguerite Aucouturier (com quem teve dois filhos, nascidos em 1963 e 1967) e fez o serviço militar na Argélia como professor em Koléa, perto de Argel, numa escola para os filhos dos soldados da tropa.

Depois de passar um ano no liceu de Le Mans, ele começou, em 1960, a dar aulas na Sorbonne. A primeira parte de sua trajetória se encerrou com a partida da Argélia, a instalação dos pais em Nice, o primeiro impulso daquilo que ele mais tarde chamou de "nostalgérie". Todos os lugares específicos de sua trajetória já haviam sido traçados: a Rue d'Ulm, onde ele logo se tornaria professor-assistente, Harvard, onde voltaria com frequência, Praga, onde viviam os sogros e onde mais tarde seria preso.

Derrida se via com um duplo pertencimento, sempre um aqui e um alhures, no mínimo em dois lugares ao mesmo tempo.

Sem contar com uma espécie de enigma pessoal, que nunca o abandonou: "Ninguém nunca saberá a partir de qual segredo escrevo, e se eu o disser a você nada mudará", ele escreve em 1991 em *Derrida*, livro assinado com Geoffrey Bennington.

A escrita, a voz, o pensamento

A seguir veio a época da prática e da composição, seja de conceitos, de redes ou de experimentações. Em poucos anos, o recém-chegado se impôs na paisagem intelectual. Em 1962, seu primeiro trabalho foi uma tradução de *A origem da geometria*, de Husserl, precedida por uma longa e original introdução. Jacques Derrida recebeu o Prêmio Jean Cavaillès pela obra. Em 1964, ele começou a dar aulas na École Normale da Rue d'Ulm, onde ficou até 1984. Primeiros artigos, que logo chamaram a atenção, nas revistas *Critique* e *Tel Quel*. Laços de amizade com o responsável por *Tel Quel*, Philippe Sollers, até uma ruptura, anos mais tarde, por razões políticas, quando Derrida escolheu permanecer próximo ao Partido Comunista enquanto os escritores de *Tel Quel* se tornaram "maoístas".

Duas séries de três livros fizeram Derrida ser reconhecido como um filósofo de singular originalidade. Em 1967: *A voz e o fenômeno*, *Gramatologia* e *A escritura e diferença*. Em 1972: *Posições*, *Margens – da filosofia* e *A disseminação*. A essência do "programa" de Derrida, de seus temas e de seu estilo de intervenção se tornou conhecida.

Tema 1: primazia da escrita sobre a fala, do signo sobre a voz, do texto sobre o dizer. Ou melhor, anterioridade fundamental da dimensão da inscrição sobre toda forma de linguagem.

Com isso, Derrida se opõe a toda a tradição metafísica vinda dos gregos e retransmitida pelo cristianismo. Essa tradição, "logocêntrica", considerava a voz mais presente, mais viva e mais central que a escrita, que não passaria de uma cópia, uma realidade secundária e desvalorizada.

Tema 2, conexo: o sentido não se separa do signo, o pensamento não se separa da escrita. O conceito não é destacável das frases em que está inscrito, do estilo que o carrega e transmite. Assim, convém estar atento à maneira como os pensadores escrevem. Torna-se possível e legítimo interrogá-los a partir dos mínimos contornos de frases e de tudo que, nos textos, contradiz seus pensamentos explícitos. Simetricamente, o trabalho sobre a escrita pode aparecer como um trabalho sobre o conceito, o que abre caminho para a possibilidade de não distinção, no fim das contas, entre literatura e filosofia, teoria e ficção.

Tema 3, ligado aos precedentes: não se pode nem continuar a filosofia nem abandoná-la totalmente. A única possibilidade "impossível" é estar ao mesmo tempo dentro e fora, interrogar a própria filosofia, "questionar a questão", trazer à luz e colocar em jogo os pressupostos desse discurso metafísico que afirma compreender, ou coroar, ou superar, todos os outros.

A convergência desses temas conduz à "desconstrução", termo hoje ligado ao nome do pensador de maneira indefectível. Derrida se recusa a defini-la e prefere proceder por negativas: a "desconstrução" não é apenas um método, nem uma escola de pensamento, menos ainda um sistema ou uma filosofia. Trata-se, ao interrogar os pressupostos de um texto, suas categorias, suas margens, seus limites, seus brancos, de abri-lo para outros significados possíveis, diferentes dos que se sedimentaram, por tradição, ao longo das leituras e ensinamentos.

"Desconstruir" não é destruir, nem abandonar. Tampouco é desfazer. É ampliar e abrir perspectivas de movimento em pensamentos endurecidos ou congelados. Chega-se à questão que mais ocupa Derrida: a da abertura, do possível ainda desconhecido, do futuro em reserva.

Amigos, inimigos

Tem início, então, a época das conquistas. Jacques Derrida criou, em 1974, a coleção "La philosophie en effet" na editora Flammarion, na qual foram publicados os trabalhos de seus conhecidos (em especial Jean-Luc Nancy, Philippe Lacoue-Labarthe, Sarah Kofman, Sylviane Agacinski). Ele tomou parte na fundação do GREPH (*Groupe de recherche sur l'enseignement de la philosophie* – Grupo de pesquisa sobre o ensino de filosofia). No ano seguinte, foi criada a chamada "École de Yale" (Paul de Man, Derrida e outros) e os debates americanos em torno da desconstrução se intensificaram.

Durante os anos muito intensos que se seguiram, as viagens se multiplicaram (Japão, América do Norte e América Latina, Europa do Leste, Israel) e as traduções se sucederam. Derrida explorou novas maneiras de escrever. Ele dividiu a página em duas colunas, mesclou referências filosóficas e encantações poéticas em *Glas*, livro construído em torno das sonoridades do nome de Hegel. Ele combinou, em *O cartão-postal, de Sócrates a Freud e além*, citações truncadas e fragmentos autobiográficos, entre autoficção e curtos-circuitos históricos: "Freud conectou sua linha à secretária eletrônica do *Filebo* e do *Banquete*...".

Em 1983, ele desempenhou um papel decisivo na criação do Collège International de Philosophie, que continua existindo como instituição original. No mesmo ano, ele entrou para a École des Hautes Études en Sciences Sociales, onde ficou até a aposentadoria. Os Estados Unidos (Yale, Harvard e Irvine, na Califórnia) o receberam várias vezes por ano. Ele exerceu uma influência crescente nos departamentos de literatura das universidades americanas, diretamente ou por meio de professores formados por ele.

Essa notoriedade suscitou polêmicas, reavivadas em 1987 pela revelação da extensão e da duração do compromisso de Heidegger com o regime hitlerista e pelos ataques, renovados a cada ano, contra o passado político de Paul de Man. Jacques Derrida foi atingido, de maneira diferente, pelas acusações que visavam Heidegger, a quem ele sempre se referiu, apesar de também criticá-lo, e pela campanha hostil a seu amigo Paul de Man. Dois livros constituíram sua resposta: *Heidegger e a questão do espírito* e *Mémoires – pour Paul de Man*.

Apesar do sucesso, Derrida não é uma unanimidade. Na França, foi ignorado pelas grandes honrarias e pelos altos cargos universitários: nem a Sorbonne nem o Collège de France o elegeram. No mundo anglo-saxão, onde sua notoriedade é mais forte, não lhe faltam adversários tenazes, que consideram sua obra uma verborragia incompreensível e seu pensamento uma impostura. Em 1991, quando a Universidade de Cambridge sugeriu conceder-lhe um doutorado *honoris causa*, houve um protesto coletivo. Uma petição foi organizada para impedir a homenagem. Derrida recebeu o título, mas por 302 votos a 204.

A última década de sua vida marcou a época dos retornos. Vivendo mais tempo na França, ele se tornou mais visível, aceitou intervir na televisão de tempos em tempos, ou nos jornais, apesar de sua desconfiança em relação ao "simplismo jornalístico". Talvez também tenha sido a época de um retorno às questões políticas que dominavam esses últimos anos. Derrida nunca abandonou a cena pública francesa, e tampouco as lutas políticas. Membro da Association Jan Hus, que prestava auxílio aos intelectuais tchecos dissidentes, ele foi preso em Praga em 1981, acusado de "produção e tráfico de drogas" (!), mas por fim foi solto.

A expressão política de suas intervenções se tornou, porém, mais explícita e mais persistente. Com *Espectros de Marx*, de subtítulo *O estado da dívida, o trabalho do luto e a nova Internacional*, Derrida parece reatar, de modo nostálgico, com as esperanças que, antes de serem dispensadas, animaram os séculos XIX e XX. Ele se questionou sobre "o cadáver da política", cujos traços constitutivos, a seus olhos, estavam desaparecendo. A reflexão foi prolongada por *Marx & Sons*, onde o pensador responde às discussões abertas com *Espectros de Marx*. Encontramos as mesmas preocupações políticas no livro de entrevistas com Élisabeth Roudinesco, *De que amanhã...*, bem como nos dois livros em que ele abordou o mundo pós-11 de Setembro de maneira muito hostil à política norte-americana, *Voyous* e *Philosophy in a Time of Terror*.

Essas poucas indicações não pretendem resumir o gesto de um pensador que, sem dúvida mais que qualquer outro, sempre buscou não ser resumível. A seus olhos, não poder ser encerrado numa única definição, numa única questão, numa única frase, é o mesmo que preservar-se um futuro.

De Derrida, o que ler primeiro?

O direito à filosofia do ponto de vista cosmopolita. Tradução de J. Guinsburg. In J. Guinsburg (org.). *A paz perpétua – Um projeto para hoje*. São Paulo: Perspectiva, 2004.

E depois?

A escritura e a diferença. Tradução de Maria Beatriz Marques Nizza da Silva, Pedro Leite Lopes e Pérola de Carvalho. São Paulo: Perspectiva, 2011.

Sobre Derrida, o que ler para ir mais longe?

DERRIDA, Jacques; ROUDINESCO, Élisabeth. *De que amanhã...* Tradução de André Telles. Rio de Janeiro: Zahar, 2004.

DERRIDA, Jacques; BIRNBAUM, Jean. *Apprendre à vivre enfin*. Paris: Galilée, 2005.

PEETERS, Benoit. *Derrida*. Paris: Flammarion, 2010.

☞ *Com Derrida, a filosofia é interrogada em suas condições de escrita, a fim de se preservar a possibilidade de um outro futuro.*

☞ *Com Habermas, a racionalidade é novamente prestigiada, no exame das condições da palavra pública e da discussão democrática.*

- **Nome: JÜRGEN HABERMAS**
- **Ambiente e meio**

As universidades e instituições alemãs pós-Segunda Guerra Mundial, a construção do espaço público europeu e mundial.

- **10 datas**

1929 Nasce em Düsseldorf.
1949-54 Estudos em Göttingen, Zurique e Bonn.
1956 Trabalha em Frankfurt com Horkheimer e Adorno.
1961-71 Dá aulas em Heidelberg e Frankfurt.
1968 Publica *Técnica e ciência como ideologia*.
1971-82 Codirige o Instituto Max-Planck.
1981 Publica *Teoria do agir comunicativo* (2 vol.).
1983 Professor na Universidade de Frankfurt.
1994 Professor Emérito.
1997 Publica *Direito e democracia*.

- **Conceito de verdade**

A verdade, para Habermas:
é elaborada pela discussão,
depende da qualidade do debate público,
é uma prática, e não um dado.

- **Uma frase-chave**

"Apesar de o ser humano não dispor do meio de aceder ao conhecimento da 'verdade', ele pode, por meio da linguagem, descobrir um reflexo dela e, eventualmente, engajar-se nessa perspectiva."

- **Posição ocupada no pensamento contemporâneo**

Crescente, na medida em que seu pensamento se esforça continuamente a levar em conta, em todas as dimensões, os problemas políticos e sociais do mundo globalizado.

Capítulo 20

Onde Jürgen Habermas
se recusa a ver a razão soçobrar

"Meu próprio desenvolvimento intelectual não pode ser explicado fora do confronto que, ao longo de minha vida, me opôs a figuras como Heidegger ou Carl Schmitt." Assim falou Habermas durante uma entrevista concedida em 2001 ao *Monde de l'éducation*. Por Heidegger, que ataca de frente a racionalidade clássica e, ao mesmo tempo, milita entre os nazistas, esse filósofo não tem mais simpatia do que por Carl Schmitt, jurista oficial do Terceiro Reich, inspirador das leis raciais de Nuremberg de 1936.

Parece algo simples e, poderíamos dizer, bastante normal. Após o nazismo, não há nada de surpreendente no fato de um filósofo alemão combater os pensamentos que produziram e sustentaram essa negação do humano. No entanto – e esse é um dos paradoxos do século –, boa parte dos intelectuais, de esquerda ou de extrema esquerda, não compartilham dessa certeza. Heidegger continua sendo para eles, Derrida em primeiro lugar, uma referência maior. Carl Schmitt continua sendo um teórico respeitável.

Um dos principais méritos de Jürgen Habermas – não o único, claro – foi nunca ter partilhado desse fascínio. Ele afirmou, na mesma entrevista, ter "se mantido muito desconfiado em relação à corrente profunda, hostil à civilização, própria desse irracionalismo especificamente alemão, que fascina com tanta singularidade um bom número de amigos franceses". A coerência teórica e moral e a fidelidade obstinada a algumas normas caracterizam esse filósofo rigoroso e corajoso que marcou as últimas décadas do século XX.

Uma obra importante

Nascido em 1929, Habermas dedicou seu doutorado à filosofia de Schelling, em 1954, antes de se tornar, em Frankfurt, assistente de Theodor Adorno. Sua trajetória se inscreve na história da "teoria crítica", escola de pensamento que se desenvolveu na Alemanha a partir dos anos 1920 na interseção entre marxismo, sociologia e filosofia política. Walter Benjamin e Herbert Marcuse figuram entre os principais representantes dessa corrente, ao lado de Theodor Adorno e Max Horkheimer. Fechado pelos nazistas em 1933, o Instituto para Pesquisa Social de Frankfurt reabriu somente em 1950, com o retorno de Adorno do exílio nos Estados Unidos.

Foi nesse contexto de reabertura após a guerra que Habermas trabalhou. No entanto, suas relações com aquela que se costuma chamar de Escola de Frankfurt são complicadas. Ele progressivamente se afasta do aval teórico marxista para seguir caminho rumo a uma profunda renovação do pensamento político e filosófico. A particularidade da abordagem de Habermas está no esforço de unir trabalho conceitual a perspectivas de emancipação.

Essa elaboração, levada adiante ao longo de mais de meio século e vários milhares de páginas, não pode ser resumida em três frases. Principalmente porque uma das principais características da obra de Habermas consiste em abarcar um grande número de campos, da sociologia à teoria moral, da filosofia do direito à análise da linguagem. Além disso, o filósofo nunca deixou de tomar posição na cena pública, seja contra a assimilação do totalitarismo nazista pelo totalitarismo comunista ou contra a eventualidade da clonagem humana. Habermas intervém regularmente, em jornais ou revistas, sobre questões de bioética ou política europeia.

Entrar em cada um desses campos exigiria um livro inteiro, quem sabe vários. O que se trata de enfatizar, aqui, não é o conjunto dessa trajetória prolífica, mas sua orientação global. Para compreendê-la, é preciso voltar um pouco e lembrar algumas características da história recente das representações da razão.

Da soberania à autodestruição

Para condensar três séculos em algumas linhas, diremos que no início dos Tempos Modernos reinava o ideal de uma Razão soberana. Essa faculdade única era julgada capaz de guiar as vidas individuais, de velar tanto pelas constituições políticas quanto pelas decisões coletivas. Essa foi a grande questão do século XVIII: garantia da certeza dos princípios tanto quanto da veracidade dos conhecimentos experimentais, a Razão presidia a moralidade das escolhas e a exatidão das sentenças.

O século seguinte viu as Luzes perderem o brilho. Entre impérios e indústrias, maquinismo e luta de classes, cientificismo e utopia, teve início a época dos altos-fornos, das minas, das colônias e das estradas de ferro. Ele desconfiou que a Razão talvez não passasse de uma engrenagem de um todo. Faceta entre outras nas sociedades humanas, ela não seria mais sua fonte originária nem sua medida derradeira.

O século XX, por sua vez, alarmado por massacres inconcebíveis, atordoado por invenções incessantes, alimentado por teorias em profusão, não se contentou em desconfiar da antiga Razão soberana. Ele viu em seu reinado a fonte de nossos males. Discernir nas próprias Luzes o surgimento das trevas foi a tentativa da primeira geração dos teóricos da Escola de Frankfurt, ilustrada pelos trabalhos de Theodor Adorno e Max Horkheimer.

Hitler, filho de Kant? O nazismo, gerado pela Enciclopédia? Reduções como essas por certo parecem monstruosas. Adorno e Horkheimer trabalharam com muito mais sutileza. Mas eles de fato atribuíram aos pensamentos das Luzes um amplo papel na gênese dos massacres contemporâneos. Não apenas lembrando que foi possível subjugar "em nome" da igualdade, matar "em vista" do progresso, torturar "por amor" ao bem supremo... mas sugerindo que *no próprio seio* do projeto das Luzes já havia uma forma de opressão totalitária. O Terror nunca estaria longe da igualdade.

Jürgen Habermas se posiciona contra esse pessimismo. Ele se afasta dessa visão desesperançada que acaba abandonando qualquer projeto global de emancipação. Um dos principais fios condutores de sua obra é a vontade de renovar as Luzes. Isso não significa, por certo, o desejo de voltar, como se nada tivesse acontecido, a um momento anterior da história, mas a vontade de retomar, para nossa época, uma tarefa sem fim: definir o que constitui a razão, delimitar sobre quais realidades ela tem alcance.

Razão e comunicação

O longo percurso de Habermas, de abordagem bastante difícil, interligou, sobre a trama herdada da filosofia, elementos provenientes de um marxismo suavizado, de uma psicanálise transposta à história e da diversidade das ciências sociais. Corremos o risco de passar ao lado do essencial se esquecermos que a reflexão de Habermas teve início com a constatação de uma mudança radical na concepção da razão.

A seus olhos, a razão não tem mais, propriamente falando, natureza ou essência. Ela está imersa na linguagem, presa ao tecido móvel das discussões. Mais do que uma dada capacidade, a razão aparece como um processo em andamento. Presente em qualquer tentativa de argumentação, esse processo nada tem de misterioso ou indefinido. As regras que o pressupõem podem ser explicitamente formuladas, e suas estruturas podem ser analisadas – lógicos e linguistas o demonstraram, de Peirce a Frege e Russell. Habermas analisou as consequências dessa "virada linguística" sobre o conceito de razão, principalmente nos dois volumes da *Teoria do agir comunicativo* (1981).

A principal análise desse novo conceito está baseada nos trabalhos de John Austin e de John Searle. Numa obra que se tornou um clássico, *How to do things with words* (1955), Austin desenvolveu a teoria dos *speech acts*: a linguagem não tem apenas um uso descritivo, ela às vezes constitui em si mesma uma ação. "Eu te batizo" ou "eu vos declaro unidos pelos laços do matrimônio" não são frases que se contentam em dizer o que é. Elas são "performativos", isto é, enunciados que modificam o curso dos acontecimentos e constituem, em si mesmos, ações.

Esse aporte foi determinante na construção por Habermas de uma teoria do "agir comunicativo". Ele estava convencido da necessidade de construir uma relação forte entre teoria da razão e análise do presente, mas faltava-lhe uma perspectiva linguística que permitisse ligar ação política e debate público. Encontrou esses elementos em Austin e Searle, bem como nas análises de interação do sociólogo pragmático George Herbert Mead. Reelaborando esses elementos num pensamento próprio, Jürgen Habermas construiu um sistema coerente e, ao mesmo tempo, aberto, de potente originalidade.

Ele conserva a ideia de emancipação, deixando de lado os pressupostos do marxismo. No quadro da interação dos indivíduos e das coletividades no âmbito do debate público, a discussão argumentada permite a cada um reivindicar a validade de seu ponto de vista e de chegar a resultados aceitos por todos. É nesse sentido que a comunicação também é uma ação e pode permitir que a política leve a uma emancipação efetiva dos indivíduos.

A principal dificuldade dessa análise é que ela vale para "a situação ideal de fala", aquela em que cada um pode se expressar, ser ouvido, responder às eventuais objeções. Nas situações políticas e sociais contemporâneas, mesmo nos países democráticos, é fácil constatar que existe uma distância considerável entre as realidades cotidianas e essa "situação ideal". Habermas tem consciência disso, claro. Mas ele insiste nas múltiplas possibilidades oferecidas pelas instâncias democráticas e o quadro jurídico e prático que elas constituem.

Essas análises estão menos afastadas das realidades concretas do que poderíamos acreditar à primeira vista. Pensemos, por exemplo, na queda do muro de Berlim, na derrocada do comunismo no bloco soviético, nas transformações da Ucrânia ou mesmo na China atual. O papel desempenhado pela fala cidadã, pelos debates argumentados, pela discussão pública que se desenvolve sob mil formas, institucionais ou não, parece se tornar cada vez mais fundamental.

Contra o desumano

Na elaboração dessa nova teoria crítica, um problema capital, o das normas da ação, foi abordado apenas tardiamente. Pois o problema da moral e do direito se apresenta em Habermas de maneira específica. Por um lado, diferentemente da razão prática na filosofia das Luzes, para ele "a razão fundada na comunicação não é uma fonte de normas de ação". Por outro lado, deve existir uma forma de legitimidade das regras do direito que não se limite apenas ao jogo flutuante das legislações.

É principalmente em *Direito e democracia* (1992) que Habermas aborda de frente essa questão: é possível fundar uma legitimidade do direito no quadro de uma concepção da razão como comunicação? A resposta é afirmativa. Ela se baseia na substituição do modelo clássico de contrato pelo modelo de acordo estabelecido por meio da discussão. Entre o debate democrático e a legitimidade do Estado de direito não há uma simples coincidência histórica, mas laço interno, relação conceitual forte.

Uma das constantes do pensamento de Habermas é de fato nunca ceder na questão das normas, do direito e da ética. Quer se trate da clonagem reprodutiva, das manipulações genéticas ou das perspectivas abertas pela inteligência artificial, ele sempre mantém uma exigência sem brechas. Isso às vezes o faz ser visto como rígido ou passadista, embora o que ele faça seja não transigir em relação ao que, a seus olhos, possa conduzir ao inumano.

Apesar de complexos, os trabalhos de Habermas têm resultados e orientação nítidos. Ele é um filósofo do século XX, no momento em que esse século declina. Seus predecessores com frequência cultivaram a desesperança, alguns, a abdicação. Ele se preocupa em estabelecer razão, comunicação, democracia, direitos do homem e soberania popular como indissociavelmente ligados, sem apelar para a teologia ou para a metafísica.

À esquerda, ele é julgado reformista e moderado demais. À direita, é acusado de bolchevismo mascarado. Em suas ideias de aparência mais teórica, a política nunca está longe: "Não é mais possível obter ou manter o Estado de direito sem uma democracia radical". Habermas é um democrata ao mesmo tempo radical, cosmopolita e consequente.

Por isso ele enfatiza o contraste entre a exigência moral universalista e a extraordinária resistência à mudança da organização mundial. Em vez de se ater apenas à moral racional, que sempre tem as mãos limpas porque não tem mãos, convém participar da construção de um sistema jurídico. Como por exemplo o da ONU, que responde em parte ao projeto de paz perpétua de Kant.

Também é preciso que o sistema não seja uma simples fachada. "Os tribunais internacionais", escreve Habermas, "não são suficientes para que se possa transformar a Declaração dos Direitos do Homem da ONU em direitos elegíveis; esses tribunais só poderão funcionar de maneira adequada a partir do momento em que a era dos Estados soberanos tiver chegado ao fim graças à existência de uma ONU capaz não apenas de decidir, mas de agir e impor."

O que mais impressiona, por fim, no gesto desse filósofo é a aguda percepção das situações contemporâneas. Não lhe são estrangeiras as preocupações ecológicas nem a extensão mundial dos mercados, o ressurgimento das reivindicações étnicas e nacionais nem a proliferação nuclear. A apatia da Europa e a pusilanimidade geral do Ocidente diante do acúmulo planetário de dificuldades lhe são insuportáveis.

"Diante desse cenário assustador, a política das sociedades ocidentais que dispõem do Estado de direito e da democracia perde, hoje, a orientação e a garantia." Felizmente, o filósofo não se deixa abater. Cólera? Desânimo? Contemplação resignada de uma civilização em declínio? Não. Corajosamente, as Luzes, reconstruídas para nosso tempo. E nada mais.

De Habermas, o que ler primeiro?

A ética da discussão e a questão da verdade. Tradução de Marcelo Brandão Cipolla. São Paulo: Martins Fontes, 2007.

E depois?

O futuro da natureza humana: a caminho de uma eugenia liberal? Tradução de Karina Jannini. São Paulo: Martins Fontes, 2004.

Strukturwandel der Öffentlichkeit. Untersuchungen zu einer Kategorie der bürgerlichen Gesellschaft. Berlim: 1962. [O espaço público: arqueologia da publicidade como dimensão constitutiva da sociedade burguesa.] [Edição francesa: *L'Espace public*. Paris: Payot, 1978.]

Sobre Habermas, o que ler para ir mais longe?

DUPEYRIX, Alexandre. *Compreender Habermas*. Tradução de Edson Bini. São Paulo: Loyola, 2012.

THEUNISSEN, Michaël. *La Théorie critique de la société. Introduction à la pensée de Jürgen Habermas*. Paris: Bayard, 2005.

MÜNSTER, Arno. *Le Principe discussion. Habermas et le tournant langagier*. Paris: Kimé, 1998.

Conclusão

ONDE SE INDICA, POR FINALIZAR, ALGUNS PORMENORES ÚTEIS

Para concluir, alguns fragmentos de respostas a possíveis perguntas dos leitores.

Como foram escolhidos os vinte nomes abordados? Não existem critérios perfeitamente objetivos, como se sabe. Privilegiei, por um lado, as grandes referências históricas: impossível falar do pensamento filosófico do século XX sem a presença de Bergson, Husserl, Heidegger ou Wittgenstein – seja o que for que pensemos de cada um.

Por outro lado, impossível escapar às preferências subjetivas: eu quis falar de James, de Quine e Gandhi, nomes que sem dúvida não apareceriam na lista de outro autor. Não vejo como seria possível, ou por que seria desejável, rejeitar essa parcela de subjetividade.

Presentes, ausentes

Mesmo assim, há alguns grandes ausentes. É inevitável, e uma lei do gênero. Se alguém quiser brincar de "quem não está aqui mas poderia estar", inevitavelmente encontrará nomes ausentes. Seria possível ter colocado, entre os mestres do pensamento do século XX, Rudolf Carnap, um dos mestres do positivismo lógico, Alfred North Whitehead, que edificou um dos últimos sistemas filosóficos completos, Theodor Adorno, um dos fundadores da teoria crítica, Vladimir Jankélévitch, autor de um surpreendente *Tratado das virtudes*, Jacques Lacan, grande artesão do "retorno a Freud", Roland Barthes, mestre dos estudos semiológicos, Guy Debord, o radical da "sociedade do espetáculo", Paul Ricoeur, que tentou aproximar a filosofia continental à filosofia analítica, Pierre Bourdieu, que renovou o campo da pesquisa em sociologia...

A lista por certo é não restritiva. Cada um pode constituir a sua. Se tivesse seguido apenas minhas preferências, teria acrescentado aqueles que foram de fato meus mestres e que me honraram com sua amizade: Jean-Toussaint Desanti, cujo trabalho sobre *Les Idéalités Mathématiques* [As idealidades matemáticas] continua essencial, Georges Dumézil, que personifica o gênio do comparativismo, Pierre Hadot, que recuperou da Antiguidade a ideia de que a filosofia é um modo de viver. Mas teria sido outro livro, com outras intenções.

Também poderiam perguntar: por que a ausência das mulheres? Hannah Arendt é a única. Uma mulher, dezenove homens... você não tem vergonha? A bem dizer, não. Pois é possível dedicar um livro inteiro, e mesmo inúmeros livros, às mulheres pensantes do século XX. Não faltam gênios femininos: Arendt está cercada por várias outras. Em especial Simone Weil, cuja obra completa – em dezessete volumes – está sendo publicada, Simone de Beauvoir, que marcou o século com *O segundo sexo*, Margaret Mead, que renovou a antropologia, Melanie Klein, que

Conclusão

renovou a teoria psicanalítica, Elizabeth Anscombe, que trabalha dando seguimento a Wittgenstein e cujo rigor moral causa escândalo, Judith Butler, figura maior dos *gender studies*, que questiona a sexualização dos discursos. Entre outras, mais uma vez.

Dito isso, não é preciso desejar a onipresença de uma política de cotas. Há múltiplos campos em que a paridade entre homens e mulheres pode ser tornada obrigatória, e em que a igualdade (sobretudo de salários e carreiras) precisa ser imposta. Mas não parece de modo algum desejável que todo livro, colóquio ou debate precise ser obrigatoriamente concebido de antemão a partir da pergunta "qual a porcentagem de mulheres?".

Melhor lembrar a intenção original deste livro. Ela é modesta. Não se trata de um panorama completo dos pensadores contemporâneos, nem de uma história das ideias do século XX. O objetivo é mais simples e limitado: facilitar o acesso de obras contemporâneas fundamentais a leitores não especialistas. Informar sobre alguns pontos essenciais, incitar a continuar a descoberta por conta própria. Fazer isso sem sectarismo ou pedantismo, sem inexatidões ou erros demais. Apenas isso.

Este é um livro para iniciantes, jovens ou menos jovens. Por isso foram deixados de lado os comentários mais específicos. Tampouco retomei as entrevistas que fiz ao longo dos anos, como por exemplo com Michel Foucault, Claude Lévi-Strauss, Emmanuel Levinas, Jacques Derrida ou Jürgen Habermas. Essas conversas foram publicadas na imprensa, e algumas foram retomadas em livros; elas não tinham lugar aqui, portanto. Em contrapartida, consultei livremente a coleção dos meus artigos do jornal *Le Monde* ou da revista *Le Point*, e alguns foram revistos, reescritos, recortados e reformatados.

Chegar ou não chegar ao correio

Dessa caminhada, o que tirar como lição final? Esta também será esquemática. Decisão voluntária e indispensável para manter a simplicidade. Nada nefasta, se mantivermos em mente que existe essa simplificação.

O que divide os pensadores do século XX, no fim das contas, é a atitude em relação à verdade. Para uns, deve-se buscar, construir, elucidar a verdade. Para outros, deve-se suspeitar dela, desconstruí-la, complicá-la. Lembrando que, acima de tudo, não se deve imaginar "a verdade" como uma realidade misteriosa, evanescente e indefinível. Ela é uma propriedade muito comum de nossas frases, ideias, ações.

Quando pergunto a alguém, numa cidadezinha ou num bairro que não conheço, o caminho para ir ao correio, espero uma resposta verdadeira de sua parte. No caso, quero que a resposta me permita de fato ir ao correio. A mentira ou o erro serão as respostas que me desviam, que me conduzem para outro lugar. Esse exemplo elementar pode permitir dividir os pensadores em dois grupos.

O primeiro grupo está convencido de que o trabalho do pensamento é estabelecer os caminhos mais claros para obter as indicações mais confiáveis. A pergunta "como chegar ao correio?" tem um sentido. Ela admite uma resposta verdadeira, ou mesmo várias. Alguns caminhos serão mais curtos, ou mais rápidos, ou mais bem adaptados, dependendo de se eu estiver a pé, de bicicleta ou de carro. Também é possível verificar que há de fato um correio nos arredores, que os habitantes compreendem a língua que falo etc. Com todas essas questões a resolver, encontrar o correio continua possível.

Conclusão

O segundo grupo, pelo contrário, questiona a própria validade da pergunta e das respostas. De seu ponto de vista, o mundo é um relato, a verdade é uma frase desse relato, que exige ser interpretada, examinada, dissecada infinitamente. Nada indica, em suma, que de fato haja um correio e trajetos. Existem apenas fábulas e romances onde personagens perguntam o caminho, outros respondem, mas sempre é preciso perguntar em quais circunstâncias, em que contexto. Também será preciso levar em conta a história das relações postais, das inúmeras e diversas motivações para se enviar uma carta, da representação do destinatário que o remetente tem...

Sem ignorar a importância dos relatos, a complexidade do uso das palavras e as incertezas dos referenciais humanos, pertenço, de minha parte, ao grupo daqueles que continuam convencidos de que existem agências de correio e caminhos para se chegar a elas.

E depois?

O pensamento não pode ser dividido na razão de uma fatia por século, como sabemos. A partir dos anos 1980, duas mutações, a princípio discretas, não pararam de crescer. Elas parecem marcar este início de século XXI e sem dúvida anunciam novas transformações.

A primeira dessas rupturas é o retorno à antiga visão da filosofia como modo de vida. Nos anos 1970, a felicidade não era considerada, de maneira geral, como uma questão filosófica. Hoje, ela está no centro das preocupações de uma boa parte dos pensadores. Ninguém levava a sério a frase de Sêneca: "A filosofia ensina a fazer, não a dizer". Hoje, essa máxima recuperou a força.

Trata-se de uma transformação profunda, de causas, consequências, novas possibilidades ou efeitos perversos ainda longe de se manifestarem totalmente. Seja como for, ela pertence à paisagem do século XXI, assim como a abertura do pensamento filosófico a noções e obras vindas de línguas e culturas não ocidentais.

Essa de fato é a outra grande mudança em andamento. Por muito tempo, o campo legítimo da filosofia manteve-se limitado aos contornos da bacia mediterrânea, às línguas europeias e às concepções ocidentais. Esse círculo começa a se abrir. Pesquisadores começam a levar em conta, sob um ponto de vista filosófico, tratados redigidos em sânscrito, em chinês, em tibetano, em japonês, em árabe, em persa, em hebraico. As hipóteses de trabalho são múltiplas e dissemelhantes, mas têm em comum o fato de resultarem em novas paisagens intelectuais.

Ao confronto com esses saberes letrados provenientes de culturas dotadas de bibliotecas é preciso cogitar que venha se somar o pensamento mítico, cujas complexidades e sofisticação foram mostradas por Lévi-Strauss. A herança dos povos sem escrita (ameríndios, africanos, asiáticos) também poderá ser comparada, assim, a nossos modos de raciocínio.

É bem provável que essa reviravolta se intensifique ao longo do século que começa. Podem contribuir para ela a globalização dos meios de comunicação, a construção de um mundo multipolar, a necessidade crescente de elaborar um pensamento do planeta Terra e das relações do homem com as outras espécies, a necessidade de refletir de maneira diferente sobre os lugares dos humanos e das técnicas.

Conclusão

Nenhuma dessas transformações está assegurada. As aventuras da verdade continuam. História aberta.

Leituras complementares

Os que desejarem mais informações sobre a história da filosofia contemporânea podem consultar:

DELACAMPAGNE, Christian. *História da filosofia no século XX*. Tradução de Lucy Magalhães. Rio de Janeiro: Zahar, 1997.

WORMS, Frédéric. *La Philosophie en France au XXe siècle. Moments*. Paris: Gallimard, 2009.

Agradecimentos

Gostaria de agradecer a Michèle Bajau pela ajuda eficaz na edição do manuscrito.

Este livro não poderia ter sido concluído sem a paciência e a atenção constante de minha companheira Monique Atlan – milésimo motivo de gratidão.

ÍNDICE ONOMÁSTICO

Adorno, Theodor 106, 290, 292, 294, 302
Agacinski, Sylviane 285
Alighieri, Dante 102
Anscombe, Elizabeth 303
Aristóteles 12, 15, 36, 75-76, 92, 98, 100, 133, 156, 180
Aron, Raymond 212
Aucouturier, Marguerite 282
Austin, John Langshaw 295-296
Axelos, Kostas 107

Bachelard, Gaston 211
Badiou, Alain 218
Balibar, Étienne 218
Barthes, Roland 210, 302
Beaufret, Jean 96, 107, 237
Beauvoir, Simone de 158, 174, 302
Belínski, Vissarion Grigorievitch 190
Benjamin, Walter 292
Bennington, Geoffrey 283
Bernheim, Hyppolyte 53
Bion, Wilfred 64
Blanchot, Maurice 264
Bouglé, Célestin 224
Bourdieu, Pierre 302
Bouretz, Pierre 275
Bourget, Paul 31
Bradley, Francis Herbert 75

Breton, André 225
Briand, Aristide 32
Brunschvicg, Léon 33
Bultmann, Rudolf 129
Butler, Judith 303

Carnap, Rudolph 142-144, 302
Carnegie, Andrew 116
Carroll, Lewis 243
Charcot, Jean Martin 50, 52
Char, René 107, 134
Chouchani, "Monsieur" 265
Curie, Marie 32

Darwin, Charles 40, 45
Daudet, Léon 31
Davidson, Donald 143, 149-151
Debord, Guy 302
Desanti, Jean-Toussaint 16, 302, 317
Descartes, René 12, 30, 87, 92, 108, 161, 165, 180, 216, 253
Dewey, John 45-47, 145
Dostoiévski, Fiódor Mikhailovitch 164, 190, 264
Dreyfus, Dina 225
Duchamp, Marcel 225
Dumézil, Georges 210, 302

311

Einstein, Albert 32, 80
Éluard, Paul 187
Engels, Friedrich 218
Erasmo 253
Ernst, Max 225
Euclides 74

Faye, Jean-Pierre 107
Feuerbach, Ludwig 14, 213
Frege, Gottlob 77-78, 85, 143, 295

Glucksmann, André 170
Goethe, Johann Wolfgang von 102, 121
Green, André 64
Guattari, Félix 240, 243-244
Guilbert, Yvette 122

Hadot, Pierre 302
Haim de Volozhin, rabino (Haim ben Isaac) 264
Havel, Václav 264
Hegel, Georg Wilhelm Friedrich 14, 45, 190, 217, 243, 285
Homero 102
Horkheimer, Max 290, 292, 294
Hugo, Victor 168
Hume, David 146, 242

Jakobson, Roman 225-226
Jambet, Christian 170
James, Henry 38, 40
Jankélévitch, Vladimir 302
Jaspers, Karl 104, 128-129, 135-136

Jonas, Hans 99, 129
Joyce, James 243
Jung, Carl Gustav 56

Kakar, Sudhir 206
Kant, Emmanuel 14, 125, 129, 165, 180, 242, 294, 298
Keynes, John Maynard 118
Klein, Mélanie 63, 302
Klossowski, Pierre 243
Kofman, Sarah 285

Lacan, Jacques 64, 210, 302
Lacoue-Labarthe, Philippe 285
Lardreau, Guy 170
Lautréamont 190
Lefebvre, Henri 107
Lefort, Claude 172, 179, 181
Leibniz, Gottfried Wilhelm 12, 76, 246
Lermontov, Mikhail Iúrevitch 264
Lévy, Benny 158, 166, 168-170, 316
Löwith, Karl 99, 107
Lukács, Georg 106

Malaurie, Jean 228
Man, Paul de 285-286
Marcel, Gabriel 107
Marcuse, Herbert 292
Marx, Karl 207-208, 210-213, 218-219, 243, 287
Mead, George Herbert 296
Mead, Margareth 302
Mill, Stuart 165
Montaigne, Michel de 125

ÍNDICE ONOMÁSTICO

Nancy, Jean-Luc 285
Nechayev, Sergei Gennadiyevich 190
Negri, Antonio 218
Neurath, Otto 144
Nietzsche, Friedrich 14-15, 62, 190, 238, 242, 247, 256, 276
Nizan, Paul 31

Peano, Giuseppe 75
Péguy, Charles 24, 30-31
Peirce, Charles Sanders 40, 45, 295
Pisarev, Dimitri Ivanovich 190
Platão 12, 15, 84-85, 92, 98, 100, 102, 133, 136, 150, 165, 200, 223, 244, 271
Politzer, Georges 31
Pradines, Maurice 264
Púchkin, Alexander Sergueievitch 264

Rancière, Jacques 219
Renan, Ernest 30
Renouvier, Charles 40
Ricoeur, Paul 107, 302
Rorty, Richard 47
Rousseau, Jean-Jacques 118, 165

Saint-Just, Louis Antoine Léon 190
Schelling, Friedrich Wilhelm Joseph von 14, 180, 292
Schlegel, Friedrich 101
Schlick, Moritz 144
Schmitt, Carl 291
Scholem, Gershom 131

Schopenhauer, Arthur 14, 62
Searle, John 295-296
Sêneca 305
Shakespeare, William 102
Shusterman, Richard 47
Slade, Madeline 205
Sócrates 11, 76, 125, 133, 150, 178, 200-201, 203, 246, 285
Sollers, Philippe 283
Sorel, Albert 30-31
Spinoza, Baruch 12, 165, 242, 246
Stirner, Max 190

Taine, Hyppolyte 30
Tolstói, Leon 202, 264
Trubetzkoy, Nikolai Sergueievitch 226
Turguêniev, Ivan Sergueievitch 264

Valéry, Paul 238
Victor, Pierre 169
Vilna, Gaon de (Elijah ben Solomon) 264
Virgílio 102

Wahl, Jean 47
Weil, Éric 107
Weil, Simone 302
Whitehead, Alfred North 72, 75-76, 86, 116, 142, 144, 180, 302
Winnicott, Donald 63

Žižek, Slavoj 219

Do mesmo autor

(www.rpdroit.com)

Investigações filosóficas
L'Oubli de l'Inde. Une amnésie philosophique. Paris: PUF, 1989. [Nova edição revista e corrigida Le Livre de poche, 1992 (Coleção "Biblio-Essais"). Reedição Points Essais, Seuil, 2004.]
Le Culte du Néant. Les philosophes et le Bouddha. Paris: Seuil, 1997. [Reedição de bolso Points Essais, Seuil, 2004.]
Généalogie des barbares. Paris: Odile Jacob, 2007.
Les Héros de la sagesse. Paris: Plon, 2009.
Le Silence du Bouddha. Paris: Hermann, 2010.

Explicações filosóficas
La Compagnie des philosophes. Paris: Odile Jacob, 1998. [Reedição de bolso Odile Jacob, 2002. Bibliothèque Odile Jacob, 2010.] [*A companhia dos filósofos*. Tradução de Eduardo Brandão. São Paulo: Martins Fontes, 2002.]
La Compagnie des contemporains. Rencontres avec des penseurs d'aujourd'hui. Paris: Odile Jacob, 2002.
Les Religions expliquées à ma fille. Paris: Seuil, 2000. [*As religiões explicadas a minha filha*. Tradução de Mônica Seincman. São Paulo: Via Lettera, 2001.]
La Philosophie expliquée à ma fille. Paris: Seuil, 2004. [*A filosofia explicada a minha filha*. Tradução de Cláudia Berliner. São Paulo: Martins, 2005.]

L'Occident expliquée à tout le monde. Paris: Seuil, 2008.
L'Éthique expliquée à tout le monde. Paris: Seuil, 2009.
Une brève histoire de la philosophie. Grand Prix du Livre des professeurs et maîtres de conférences de Sciences-Po 2009. Paris: Flammarion, 2008. [Reedição na Coleção "Champs", 2011.] [*Filosofia em cinco lições*. Tradução de Jorge Bastos. Rio de Janeiro: Nova Fronteira, 2012.]
Osez parler philo avec vos enfants. Paris: Bayard, 2010.
Vivre aujourd'hui avec Socrate, Épicure et tous les autres. Paris: Odile Jacob, 2010.

Experiências e contos filosóficos
101 Expériences de philosophie quotidienne. Prêmio de Ensaio France-Télévision 2001. Paris: Odile Jacob, 2001. [Reedição de bolso Odile Jacob, 2003.] [*101 experiências de filosofia cotidiana*. Tradução de Carlos Irineu da Costa. Rio de Janeiro: Sextante, 2002.]
Dernières Nouvelles des choses. Une expérience philosophique. Paris: Odile Jacob, 2003. [Reedição de bolso Odile Jacob, 2005.]
Votre vie sera parfaite. Gourous et charlatans. Paris: Odile Jacob, 2005.
Un si léger cauchemar (ficção). Paris: Flammarion, 2007.
Où sont les ânes au Mali? Paris: Seuil, 2008.

Obras em colaboração
La Chasse au bonheur, com Antoine Gallien. Paris: Calmann-Lévy, 1972.
La Réalité sexuelle. Enquête sur la misère sexuelle en France, com Antoine Gallien, prefácio do dr. Pierre Simon. Paris: Robert Laffont, 1974.
Philosophie, France, XIXe siècle. Écrits et opuscules, com Stéphane Douailler e Patrice Vermeren. Paris: Le Livre de poche, 1994. Coleção "Classiques de la philosophie".

Des idées qui viennent, com Dan Sperber. Paris: Odile Jacob, 1999.

Le Clonage humain, com Henri Atlan, Marc Augé, Mireille Delmas--Marty, Nadine Fresco. Paris: Seuil, 1999.

La liberté nous aime encore, com Dominique Desanti et Jean-Toussaint Desanti. Paris: Odile Jacob, 2002. Reedição de bolso Odile Jacob, 2004.

Fous comme des sages. Scènes grecques et romaines, com Jean-Philippe de Tonnac. Paris: Seuil, 2002. Reedição Points Seuil, 2006.

Michel Foucault, entretiens. Paris: Odile Jacob, 2004. [*Michel Foucault – Entrevistas*. Tradução de Vera Portocarrero e Gilda C. Carneiro. Rio de Janeiro: Graal, 2006.]

Chemins qui mènent ailleurs. Dialogues philosophiques, com Henri Atlan. Paris: Stock, 2005.

Vivre toujours plus?, com Axel Kahn. Paris: Bayard, 2008.

Philosophies d'ailleurs (2 volumes). Paris: Hermann, 2009.

Le Banquier et le Philosophe, com François Henrot. Paris: Plon, 2010.

Impressão e acabamento
Imprensa da Fé